SAY IT ALL
IN BRAZILIAN PORTUGUESE!

JOSÉ ROBERTO A. IGREJA

SAY IT ALL IN BRAZILIAN PORTUGUESE!

THE DEFINITIVE COMMUNICATION GUIDE FOR THE ENGLISH SPEAKING TRAVELER IN BRAZIL

Includes CD with key phrases and dialogues

Preparação de texto
Flávia Yacubian / Verba Editorial

Revisão
Juliane Kaori

Capa e projeto gráfico
Paula Astiz

Editoração eletrônica
Laura Lotufo / Paula Astiz Design

Ilustrações
Carlos Cunha

Dados Internacionais de Catalogação na Publicação (CIP)
(Câmara Brasileira do Livro, SP, Brasil)

Igreja, José Roberto A.
Say it all in brazilian portuguese! : the definitive communication guide to the English speaking traveler in Brazil / José Roberto A. Igreja. – Barueri, SP : DISAL, 2009.

Includes CD with key phrases and dialogues.
ISBN 978-85-7844-032-9

1. Inglês – Vocabulários e manuais de conversação – Português 2. Português – Vocabulários e manuais de conversação – Inglês I. Título.

09-07459 CDD-428.2469 -469.8242

Índices para catálogo sistemático:
1. Guia de conversação inglês-português : Linguística 428.2469
2. Guia de conversação português-inglês : Linguística 469.8242

Bantim, Canato e Guazzelli Editora Ltda.

Alameda Mamoré 911 – cj. 107
Alphaville – BARUERI – SP
CEP: 06454-040
Tel. / Fax: (11) 4195-2811
Visite nosso site: www.disaleditora.com.br
Televendas: (11) 3226-3111

Fax gratuito: 0800 7707 105/106
E-mail para pedidos: comercialdisal@disal.com.br

SUMMARY

SUMÁRIO

INTRODUCTION

INTRODUÇÃO

Welcome to *Say it all in Brazilian Portuguese!* You have in your hands a practical and useful guide that will help you communicate during your business or leisure trip to Brazil. The contents of this guide were carefully selected and planned bearing in mind the communication needs of the English-speaking traveler and include:

- Checking in at the airport and going through customs
- On the plane: usual crew and passenger phrases
- Transport: getting a cab; renting a car; at the gas station
- Accommodation & Facilities
- Food and beverage
- Tourist attractions & Leisure and entertainment
- Going shopping
- Phone calls
- Health & Emergencies

USEFUL QUESTIONS AND PHRASES

Whether at the hotel, a store or in a restaurant, checking in at the airport or renting a car, you can rely on all the usual questions and phrases listed in this guide. You will also be able to listen and practice these useful phrases and questions with the CD included in the book.

SITUATIONAL DIALOGUES

Say it all in Brazilian Portuguese! also presents dialogues that portray typical situations for the traveler in Brazil. Some of these dialogues include:

- Checking in at the airport
- Renting a car
- Asking for directions
- Looking for a place to eat
- What places should we visit?
- At the shoe store

VOCABULARY & EXPRESSIONS IN USE

This section presents usual words and expressions in context: an effective way of learning, reviewing and consolidating the useful expressions that will make your communication easier during your stay in Brazil. These words and expressions have been grouped in categories such as: at the airport; traveling by car; going shopping; leisure and entertainment; etc.

COOL TIPS

Say it all in Brazilian Portuguese! also features invaluable cultural tips for those who travel to Brazil, such as:

- Usual traffic signs in Brazil
- Celsius temperature scale (used in Brazil) and its equivalent in Fahrenheit temperature scale
- Currency: bills and coins used in Brazil
- Menus: typical Brazilian dishes and drinks
- Popular Brazilian festivals and parties, such as Carnaval and Festas Juninas

THEME GLOSSARIES

In order to guarantee effective communication in each particular situation you can also count on the theme glossaries inserted throughout the book. Some of the topics include: food and beverage; leisure and entertainment; stores and services and emergencies.

ENGLISH-PORTUGUESE AND PORTUGUESE-ENGLISH GLOSSARY

Besides the theme glossaries that deal with specific situations, you will also find at the back of the book a general glossary. You will be able to look up words in both Portuguese and English.

AUDIO CD: USEFUL PHRASES AND SITUATIONAL DIALOGUES

The audio CD that accompanies this book is an invaluable tool that will enable you to practice and improve your listening comprehension of useful phrases and dialogues. Listening to the CD is also a great way of preparing for the situations you are likely to experience during your visit to Brazil.

Tenha uma boa estadia!
Have a nice stay!

FIRST CONTACTS

PRIMEIROS CONTATOS

GREETINGS

SAUDAÇÕES

Hello!/Hi!
Olá!/Oi!

How are you?
Como está?/Como vai?

I'm fine, thank you. And you?
Estou bem, obrigado. E você?

Fine, thank you.
Bem, obrigado.

Good morning!
Bom dia!

Good afternoon!
Boa tarde!

Good evening!
Boa noite!

Good night!
Boa noite!

Nice to meet you!
Muito prazer!/Prazer em conhecê-lo!

How do you do?
Muito prazer!

(I'm) glad/pleased to meet you!
Muito prazer!/Prazer em conhecê-lo!

Nice to meet you too!
O prazer é meu!

(I'm) glad/pleased to meet you too!
O prazer é meu!

Same here!
Eu também/O prazer é meu!

COOL TIP 1: GREETINGS: INFORMAL EVERYDAY EXPRESSIONS
CUMPRIMENTOS: EXPRESSÕES INFORMAIS DO DIA A DIA

Be prepared to listen to the colloquial everyday expressions ***Tudo bem?/Tudo bom?*** (Is everything all right?/How are things?) as they are used a lot in Brazil. You can answer that by simply saying ***Tudo bem!*** (All right!); ***Tudo bom!*** (Very good!); ***Legal!*** (Cool!); ***Ótimo!*** (Very good!) or even ***Beleza!*** (Great!), which can also be used in the interrogative. Something else you are likely to listen during your stay in Brazil is ***E aí?*** (What's up?), an informal expression used a lot by Brazilians to start a conversation. Another very important colloquial everyday expression in Brazil is ***Tchau!*** (Bye!).

CD Practice listening to these usual Brazilian colloquial phrases below:

Tudo bem? (question)
Tudo bem!/Tudo bom!/Legal!/Ótimo!/Beleza! (answers)
Tudo bom? (question)
Tudo bom!/Tudo bem!/Legal!/Ótimo!/Beleza! (answers)
E aí? (question)/Beleza? (question)
Beleza! (answer)
Tchau! (Bye!)
Até amanhã! (See you tomorrow!) Tchau! (Bye!)
Check out p. 24 for some other common everyday expressions in Brazil.

Diálogo: Você está gostando do Brasil?

Carlos: E aí? Tudo bem?
Nick: Tudo!
Carlos: Cê[1] tá[2] gostando do Brasil?
Nick: Tô![3] É um país maravilhoso! As pessoas são muito simpáticas, o clima é muito bom e as praias são lindas!
Carlos: Legal! Você precisa experimentar o nosso churrasco[4] e tomar caipirinha[5] antes de ir embora!
Nick: Claro!
Carlos: Ah! Quase ia me esquecendo! Precisa comer feijoada[6] também!

1 cê = você (you) / **2** tá = está / **3** tô = estou (Check out p. 25 for other common contractions and Brazilian Portuguese grammar tips: contractions p. 170) / **4** churrasco / **5** caipirinha / **6** feijoada (Check out cool tips: Brazilian steakhouses p. 79; caipirinha p. 100 and feijoada p. 95)

Check out the translation of this dialogue on p. 173

SAYING GOOD-BYE
DESPEDINDO-SE

Bye (, bye)!
Tchau!
See you later!
Até mais tarde! / Te vejo mais tarde!
See you tomorrow!
Até amanhã!
See you around!
Te vejo por aí!
I'll talk to you later, bye!
Depois conversamos, tchau!
Take care!
Cuide-se!
Have a great day, bye!
Tenha um ótimo dia, tchau!

Good night!

Boa noite!

INTRODUCING YOURSELF
APRESENTANDO-SE

My name is...

Meu nome é...

Let me introduce myself, I'm...

Deixe-me apresentar, eu sou...

I'm from the USA/etc.

Eu sou dos Estados Unidos/etc.

Check out Countries and Nationalities p. 18

I'm American/etc.

Eu sou americano/etc.

Check out Countries and Nationalities p. 18

I was born in the US/etc.

Eu nasci nos Estados Unidos/etc.

I live in...

Eu moro em...

I'm a teacher/lawyer/doctor/etc.

Eu sou professor(a)/advogado(a)/médico(a)/etc.

I'm thirty-three years old.

Tenho trinta e três anos de idade.

I'm single.

Sou solteiro. (masculine)/Sou solteira. (feminine)

Check out Brazilian Portuguese Grammar Tips: Nouns p. 153

I'm married.

Sou casado. (masculine)/Sou casada. (feminine)

ASKING FOR PERSONAL INFORMATION
PEDINDO INFORMAÇÕES PESSOAIS

What's your name?

Qual é o seu nome?/Como você se chama?

What's your last name?

Qual é o seu sobrenome?

What do you do (for a living)?
O que você faz?
What's your occupation?
Qual a sua ocupação?/O que você faz?
Where are you from?
De onde você é?
Check out Countries and Nationalities p. 18
What's your nationality?
Qual é a sua nacionalidade?
Where were you born?
Onde você nasceu?
I was born in Rio/São Paulo/Bahia...
Eu nasci no Rio/em São Paulo/na Bahia...
I am carioca/paulista/baiano(a)...
Eu sou carioca/paulista/baiano(a)...
Check out Cool tip 2 p. 20
Where do you live?
Onde você mora?
How old are you?
Quantos anos você tem?/Qual a sua idade?

THEME GLOSSARY: COUNTRIES AND NATIONALITIES

GLOSSÁRIO TEMÁTICO: PAÍSES E NACIONALIDADES

COUNTRY	PAÍS	NATIONALITY	NACIONALIDADE
Africa	África	African	Africano(a)
Argentina	Argentina	Argentinian	Argentino(a)
Australia	Austrália	Australian	Australiano(a)
Austria	Áustria	Austrian	Austríaco(a)
Belgium	Bélgica	Belgian	Belga
Bolivia	Bolívia	Bolivian	Boliviano(a)
Brazil	Brasil	Brazilian	Brasileiro(a)
Bulgaria	Bulgária	Bulgarian	Búlgaro(a)
Canada	Canadá	Canadian	Canadense
Chile	Chile	Chilean	Chileno(a)
China	China	Chinese	Chinês/Chinesa
Colombia	Colômbia	Colombian	Colombiano(a)
Cuba	Cuba	Cuban	Cubano(a)
Denmark	Dinamarca	Danish	Dinamarquês/ Dinamarquesa
Ecuador	Equador	Ecuadorian	Equatoriano(a)
Egypt	Egito	Egyptian	Egípcio(a)
England	Inglaterra	English	Inglês/Inglesa
Finland	Finlândia	Finn	Finlandês/Finladesa
France	França	French	Francês/Francesa
Germany	Alemanha	German	Alemão/Alemã
Greece	Grécia	Greek	Grego(a)
Greenland	Groenlândia	Greenlander	Groenlandês(a)
Guatemala	Guatemala	Guatemalan	Guatemalteco(a)
Haiti	Haiti	Haitian	Haitiano(a)
Holland	Holanda	Dutch	Holandês/Holandesa
Hondura	Honduras	Honduran	Hondurenho(a)
Hungary	Hungria	Hungarian	Húngaro(a)
India	Índia	Indian	Indiano(a)
Indonesia	Indonésia	Indonesian	Indonésio(a)
Iran	Irã	Iranian	Iraniano(a)
Iraq	Iraque	Iraqi	Iraquiano(a)
Ireland	Irlanda	Irish	Irlandês/Irlandesa
Iceland	Islândia	Icelander	Islandês/Islandesa

Israel	Israel	Israeli	Israelita
Italy	Itália	Italian	Italiano(a)
Jamaica	Jamaica	Jamaican	Jamaicano(a)
Japan	Japão	Japanese	Japonês/Japonesa
Kuwait	Kuait	Kuwaiti	Kuaitiano(a)
Lebanon	Líbano	Lebanese	Libanês/Libanesa
Morocco	Marrocos	Moroccan	Marroquino(a)
Mexico	México	Mexican	Mexicano(a)
Nepal	Nepal	Nepalese	Nepalês/Nepalesa
New Zealand	Nova Zelândia	New Zealander	Neozelandês/ Neozelandesa
Nicaragua	Nicarágua	Nicaraguan	Nicaraguense
Nigeria	Nigéria	Nigerian	Nigeriano(a)
North Korea	Coreia do Norte	North Korean	Norte-coreano(a)
Norway	Noruega	Norwegian	Norueguês/ Norueguesa
Panama	Panamá	Panamanian	Panamenho(a)
Pakistan	Paquistão	Pakistani	Paquistanês/ Paquistanesa
Paraguay	Paraguai	Paraguayan	Paraguaio(a)
Peru	Peru	Peruvian	Peruano(a)
Philippines	Filipinas	Philippine	Filipino(a)
Poland	Polônia	Polish/Pole	Polonês/Polonesa
Portugal	Portugal	Portuguese	Português/ Portuguesa
Puerto Rico	Porto Rico	Puerto Rican	Porto-riquenho(a)
Romania	Romênia	Romanian	Romeno(a)
Russia	Rússia	Russian	Russo(a)
Scotland	Escócia	Scottish/Scot	Escocês/Escocesa
Singapore	Cingapura	Singaporean	Cingapuriano(a)
South Korea	Coreia do Sul	South Korean	Sul-coreano(a)
Spain	Espanha	Spanish	Espanhol(a)
Sweden	Suécia	Swedish	Sueco(a)
Switzerland	Suíça	Swiss	Suíço(a)
Turkey	Turquia	Turk	Turco(a)
United States	Estados Unidos	American	Americano(a)
Uruguay	Uruguai	Uruguayan	Uruguaio(a)
Venezuela	Venezuela	Venezuelan	Venezuelano(a)

COOL TIP 2:

CARIOCA, MINEIRO, BAIANO...

Brazilians have special words to describe where (which state) someone is from in Brazil. Check out the chart below for the most common ones:

Baiano(a): a Brazilian born in the state of Bahia.
Capixaba: a Brazilian born in the state of Espírito Santo.
Carioca: a Brazilian born in the state of Rio de Janeiro.
Gaúcho(a): a Brazilian born in the state of Rio Grande do Sul.
Mineiro(a): a Brazilian born in the state of Minas Gerais.
Paulista: a Brazilian born in the state of São Paulo.
Paulistano(a): a Brazilian born in the city of São Paulo.

Check out the map on p. 217 to see where are the Brazilian states.

CD Diálogo: Sou mineiro!

Mike: Você nasceu aqui no Rio?
Ricardo: Não, sou mineiro! Nasci em Belo Horizonte, Minas Gerais.
Mike: E há quanto tempo você mora no Rio?
Ricardo: Já faz uns dez anos. Eu conheci uma carioca, me apaixonei, casei e mudei para cá.
Mike: Que interessante!
Check out the translation of this dialogue on p. 173

THEME GLOSSARY: OCCUPATIONS
GLOSSÁRIO TEMÁTICO: OCUPAÇÕES

Accountant: contador(a)
Actor: ator
Actress: atriz
Agronomist: agrônomo(a)
Architect: arquiteto(a)
Attorney: advogado(a)
Auditor: auditor(a)
Bank clerk: bancário(a)
Banker: banqueiro(a)
Barber: barbeiro
Biologist: biólogo(a)
Bus driver: motorista de ônibus
Businessman: empresário(a)
Buyer: comprador(a)
Cashier: caixa
Chef: chefe de cozinha
Civil servant: funcionário(a) público(a)
Cleaner: faxineiro(a)
Clerk: balconista
Consultant: consultor(a)
Contractor: empreiteiro(a)
Cook: cozinheiro(a)
Dancer: dançarino(a)
Dentist: dentista
Designer: designer, projetista
Director: diretor(a)
  administrative director: diretor(a) administrativo
  commercial director: diretor(a) comercial
  financial director: diretor(a) financeiro
  industrial director: diretor(a) industrial
  marketing director: diretor(a) de marketing
  human resources director: diretor(a) de recursos humanos
Doctor: médico(a)
Driver: motorista
Dustman (UK): lixeiro(a)
Economist: economista
Electrician: eletricista
Engineer: engenheiro(a)
  civil engineer: engenheiro(a) civil
  chemical engineer: engenheiro(a) químico
  electrical engineer: engenheiro(a) elétrico
  food engineer: engenheiro(a) de alimentos
  production engineer: engenheiro(a) de produção
  product engineer: engenheiro(a) de produto
Flight attendant: comissário(a) de bordo
Garbage collector/man (US): lixeiro
Hairdresser: cabeleireiro(a)
Housewife: dona de casa
Inspector: fiscal
Insurance agent: corretor(a) de seguros
Intern: estagiário(a)
Interpreter: intérprete
Janitor: zelador(a)

Journalist: jornalista
Lawyer: advogado(a)
Librarian: bibliotecário(a)
Manager: gerente
  administrative: gerente administrativo
  financial: gerente financeiro
  sales: gerente de vendas
  marketing: gerente de marketing
  human resources: gerente de recursos humanos
  production: gerente de produção
Mechanic: mecânico(a)
Musician: musicista/músico
Nurse: enfermeiro(a)
Operator: telefonista
Personal trainer: personal trainer
Pharmacist: farmacêutico(a)
Photographer: fotógrafo(a)
Physical therapist: fisioterapeuta
Physicist: físico(a)
Pilot (plane, helicopter): piloto(a)
Plumber: encanador(a)
Professor: professor(a) universitário
Psychoanalyst: psicoanalista
Psychologist: psicólogo(a)
Public relations: relações públicas
Quemist/Chemist: químico(a)
Race car driver: piloto(a) de automóveis
Real estate agent: corretor(a) de imóveis
Receptionist: recepcionista
Sales representative: promotor(a) de vendas
Salesman: vendedor(a)
Secretary: secretária(o)
Singer: cantor(a)
Social worker: assistente social
Superintendent (super): zelador(a)
Supervisor: supervisor(a)
Systems analyst: analista de sistemas
Taxi driver: motorista de táxi
Teacher: professor(a)
Technician: técnico(a)
Telemarketing operator/ attendant: operador(a) de telemarketing
Tour guide: guia turístico
Trainee: estagiário(a)
Translator: tradutor(a)
Travel agent: agente de viagens
Veterinarian: veterinário(a)
Waiter: garçom
Waitress: garçonete
Watchman: vigia
Webdesigner/Web designer: webdesigner/web designer
Webmaster: webmaster
Writer: escritor(a)

Check out Brazilian Portuguese Grammar Tips: Nouns p. 153

USEFUL QUESTIONS AND PHRASES

PERGUNTAS E FRASES ÚTEIS

How much is it?
  Quanto custa?
How long does it take to get there?
  Quanto tempo leva para chegar lá?
How far is it from here?
  Qual é a distância daqui?
Is there a hotel/youth hostel near here?
  Há um hotel/albergue da juventude aqui perto?
How can I get to...
  Como posso chegar a...
Where is the nearest subway/train station?
  Onde fica a estação de metrô/trem mais próxima?
Where can I get a taxi please?
  Onde posso pegar um táxi, por favor?
Is it too far to walk?
  Fica longe demais para ir a pé?
Where can I get information?
  Onde eu posso obter informações?
I need...
  Preciso...
I'm looking for...
  Estou procurando...
Where's the toilet, please?
  Onde fica o banheiro, por favor?
I'm American/English/Canadian/Australian...
  Sou americano(a)/inglês(a)/canadense/australiano(a)...
I'm from the United States/England/Canada/Australia...
  Sou dos Estados Unidos/Inglaterra/Canadá/Austrália...
Sorry, I don't understand...
  Desculpe-me, não entendo...
I don't speak Portuguese very well...
  Não falo português muito bem...
Does anybody here speak English?
  Alguém aqui fala inglês?

USUAL EXPRESSIONS
EXPRESSÕES USUAIS

Excuse me...
Com licença...
Sorry!
Desculpe!/Perdão!
Thank you!
Obrigado!
You're welcome!
Não há de quê!
Of course!
É claro!
Really?
Sério?
I don't know...
Não sei.../Não conheço...
I'm not sure...
Não tenho certeza...
Maybe...
Talvez...
Just a minute please...
Só um minuto, por favor...

WISHING GOOD THINGS
DESEJANDO BOAS COISAS

Congratulations!
Parabéns!
Good luck!
Boa sorte!
Cheers! (making a toast)
Saúde!
Enjoy your meal!
Bom apetite!
Enjoy yourself!
Divirta-se!/Aproveite!
Have a nice weekend!
Bom fim de semana!

Thank you, the same to you!
    Obrigado(a), pra você também!
Gesundheit!
    Saúde!
Have a nice trip!
    Tenha uma boa viagem!
Happy Birthday!
    Feliz aniversário!
Happy Easter!
    Feliz Páscoa!
Merry Christmas!
    Feliz Natal!
Happy New Year!
    Feliz ano-novo!

COOL TIP 3: WANT TO SOUND LIKE A LOCAL? TRY THESE COLLOQUIAL EXPRESSIONS AND CONTRACTIONS!

Like in every language, Brazilian Portuguese is full of contractions and colloquialisms. Check out some usual ones:

Cê (short for ***você*** = you - singular)
Cês (short for ***vocês*** = you - plural)
Né? (short for ***não é?*** - used very often at the end of questions, meaning "right?")
Pra (short for ***para a*** = "to" or "in order to")
Tá (short for ***está*** = verb to be, but it also means "all right", "O.k.")
Tamo (short for ***estamos*** = we're)
Tô (short for ***estou*** = I'm)

CD Now listen to these short dialogues and sentences:

A: Onde é que cê tá? (Where are you?)
B: Tô no metrô. (I'm on the subway.)

A: Cê vai na festa, né? (You're going to the party, right?)
B: Sim, vou. (Yes, I am.)

A: Cês viram o filme? (Did you see the movie?)

A: Tamo pensando em ir pra praia no final de semana. (We are planning on going to the beach on the weekend.)

A: Tô meio cansado. Acho que vou ficar em casa hoje à noite. (I'm kind of tired. I think I'm going to stay home tonight.)

COLLOQUIAL EXPRESSIONS
EXPRESSÕES COLOQUIAIS

Ah, é? (Really?)
Cê que sabe! (It's up to you!)
É mesmo! (You can say that again!)
É uma droga! (It sucks!)
Meio (sort of; kind of)
Putz! (Gee!)
Sei lá! (Beats me!)
Vambora! (contracted form of ***vamos embora!*** = let's go!)

CD Now listen to these short dialogues and sentences:

A: Encontramos o Pedro no shopping ontem à noite. (We ran into Pedro at the mall last night.)
B: Ah, é? Como é que ele tá? (Really? How's he doing?)

A: Você prefere ir ao cinema ou ficar em casa? (Do you prefer to go to the movies or stay home?)
B: Cê que sabe! (It's up to you!)

A: Esta torta de morango tá uma delícia! (This strawberry pie is delicious!)
B: É mesmo! (You can say that again!)

A: O filme é bom? (Is the movie any good?)
B: Não, é uma droga! (No, it sucks!)

A: Aquele cara parece meio estranho. Cê conhece ele? (That guy looks kind of strange. Do you know him?)

A: Putz! Esqueci de mandar o relatório por e-mail! (Gee! I forgot to e-mail the report!)

A: De quem é aquele celular? (Whose cell phone is that?)
B: Sei lá! (Beats me!)

A: Já é quase meia-noite. "Vambora!" (It's almost midnight. Let's go!)

Check out p. 24 for a list of common everyday expressions in Brazil.

CD COMMUNICATION PROBLEMS
RUÍDOS NA COMUNICAÇÃO

Pardon me?
Como? (asking the person to repeat)
I beg your pardon?
Desculpe, como? (asking the person to repeat)
Sorry, can you say it again, please?
Desculpe, você pode repetir, por favor?
Could you please speak slowly?
Você poderia falar devagar, por favor?
I'm sorry, I didn't understand...
Desculpe, não entendi...
Could you explain that again?
Poderia explicar novamente?
What do you call this in Portuguese? (showing something)
Como se chama isto em português?
Can you write it for me please?
Você poderia escrever para mim, por favor?
Sorry, I don't understand what you are saying.
Desculpe, não entendo o que você está dizendo.

How do you spell...?

Como se soletra...?

Check out the Alphabet p. 29

Can you spell it please?

Você pode soletrar por favor?

Diálogo: O sr. pode soletrar por favor?

Recepção: Qual é o seu sobrenome, sr.[1]?
Turista: Williams.
Recepção: O sr. pode soletrar, por favor?
Turista: Claro! W-I-L-L-I-A-M-S.
Recepção: Williams, certo! O sr. pode assinar aqui, por favor?
Turista: O.k.
Recepção: Muito bom, sr. O sr. está no quarto 503. Aqui está sua chave.
Turista: Muito obrigado.
Recepção: Não há de quê!

1 sr. = senhor (sir)

Check out the translation of this dialogue on p. 174

THE ALPHABET: HOW TO PRONOUNCE

O ALFABETO: COMO PRONUNCIAR

Knowing how to pronounce the letters of the Portuguese alphabet can be of great help when visiting Brazil on business or vacation. You might need to answer the question *Como se soletra...?* (How do you spell...?) to confirm names, surnames and other information, so make sure you listen and practice spelling the letters of the alphabet on the CD and also take some time to practice spelling the letters of your name.

A B C D E F G H I J K L M N
O P Q R S T U V W X Y Z

Diálogo: Como está o tempo hoje?

Turista: Como está o tempo hoje?
Recepção: Bom, estava meio nublado hoje cedo, mas o sol está saindo agora.
Turista: Está quente o suficiente para nadar?
Recepção: Acho que sim, sr.[1] Mas mesmo se não estiver, uma de nossas piscinas é aquecida, o sr. poderá com certeza usá-la.
Turista: Ah, é bom saber disso. Obrigado!

1 sr. = senhor (sir)

Check out the translation of this dialogue on p. 174

TALKING ABOUT THE WEATHER

FALANDO SOBRE O TEMPO

What's the weather like today?
    Como está o tempo hoje?
It's hot/cold.
    Está quente/frio.
It's sunny.
    Está ensolarado.
It's cloudy.
    Está nublado.

It's rainy.
Está chuvoso.
It's windy.
Está ventando.
It's snowy.
Está nevando.
It's kind of cloudy.
Está meio nublado.
It's chilly.
Está friozinho.
It's cool.
Está fresco.
It's warm.
Está quente.
It's stuffy.
Está abafado.
It's mild.
Está ameno.
It looks like it's going to rain.
Parece que vai chover.
It's raining.
Está chovendo.
It's pouring!
Está caindo um pé d'água!
It's drizzling.
Está garoando.
It's freezing!
Está congelante!

CD THE TEMPERATURE: CELSIUS/CENTIGRADE AND FAHRENHEIT
A TEMPERATURA: CELSIUS/CENTÍGRADOS E FAHRENHEIT

It's twenty degrees celsius/centigrade.
Está vinte graus celsius/centígrados.
It's fifty degrees fahrenheit.
Está cinquenta graus fahrenheit.

It's really hot today, it's about thirty-five degrees celsius/ centigrade!

Está quente mesmo hoje, a temperatura aproximada é de trinta e cinco graus celsius/centígrados!

Check out the temperature table below (celsius/centigrade and fahrenheit)

COOL TIP 4: TEMPERATURE TABLE FAHRENHEIT AND CELSIUS/CENTIGRADE

fahrenheit	celsius/centigrade
104	40
95	35
86	30
77	25
68	20
59	15
50	10
41	5
32	0

Converting from celsius/centigrade to fahrenheit

Multiply by 1,8 and add 32.

Ex. 20° C x 1,8 = 36 + 32 = 68° F

Converting from fahrenheit to celsius/centigrade

Subtract 32 and divide by 1,8.

Ex. 86° F - 32 = 54/1,8 = 30° C

THE WEATHER FORECAST

A PREVISÃO DO TEMPO

What's the weather forecast for today/the weekend?

Qual é a previsão do tempo para hoje/o fim de semana?

It's going to be hot all day.

Vai fazer calor o dia todo.

It's going to rain in the afternoon.
Vai chover à tarde.
It looks like we'll have a sunny/rainy day.
Parece que teremos um dia ensolarado/chuvoso.
The temperature is rising.
A temperatura está subindo.
The temperature is dropping.
A temperatura está caindo.
What's the weather like where you live/in your country?
Como é o tempo onde você vive/no seu país?
I live in Canada. It's usually cold there!
Eu moro no Canadá. Lá geralmente faz frio!
Does it snow in the winter?
Neva no inverno?
Is it sunny in the summer?
Faz sol no verão?

CD THE WEATHER: HOW YOU FEEL
O TEMPO: COMO VOCÊ SE SENTE

I'm cold.
Estou com frio.
I'm feeling cold.
Estou sentindo frio.
I'm freezing to death.
Estou morrendo de frio.
I'm hot.
Estou com calor.
I'm feeling hot.
Estou sentindo calor.
I'm melting.
Estou derretendo.
What's your favorite season?
Qual sua estação do ano preferida?
I prefer the summer/the winter/the fall (autumn)/the spring.
Prefiro o verão/o inverno/o outono/a primavera.

AIRPORT & PLANE AND OTHER MEANS OF TRANSPORTATION

AEROPORTO & AVIÃO E OUTROS MEIOS DE TRANSPORTE

Diálogo: Fazendo o check-in no aeroporto

Voo 7107 para São Paulo, embarque no portão 23.

Atendente de check-in: Bom dia, sr[1]. Posso ver seu passaporte e passagem, por favor?
Turista: Claro! Aqui estão.
Atendente de check-in: Obrigado, sr. O sr. pode, por favor, colocar sua mala na balança?
Turista: O.k.!
Atendente de check-in: Muito bom, sr. Aqui está o seu cartão de embarque. O embarque tem início às 7 horas. O sr. vai embarcar no portão 23.
Turista: Obrigado!
Atendente de check-in: Não há de quê sr.! Tenha um bom voo.

1 sr. = senhor (sir)

Check out the translation of this dialogue on p. 174

AT THE AIRPORT: CHECK-IN AGENT'S PHRASES

NO AEROPORTO: FRASES DO ATENDENTE DE CHECK-IN

Can I see your passport and ticket, please?

Posso ver seu passaporte e passagem, por favor?

How many bags are you checking, sir/ma'am?

Quantas malas o(a) senhor(a) está levando?

Can you place your bag on the scale, please?

O(A) senhor(a) pode colocar a mala na balança, por favor?

Do you have any carry-on luggage?

Você tem bagagem de mão?

Did you pack your bags yourself?

Foi o(a) senhor(a) mesmo quem fez as malas?

Are you carrying any weapons or firearms?

O(A) senhor(a) está levando algum tipo de arma?

Are you carrying any flammable material?

O(A) senhor(a) está levando algum material inflamável?

Do you have any perishable food items?

O(A) senhor(a) está levando algum item de comida perecível?

Did someone you do not know ask you to take something on the plane with you?

Alguém que o(a) senhor(a) não conhece lhe pediu para levar alguma coisa com você no avião?

Did you have possession of your luggage since you packed?

O(A) senhor(a) esteve em posse da bagagem desde que fez as malas?

Did you leave your luggage unattended at all in the airport?

O(A) senhor(a) deixou as malas sozinhas em algum momento no aeroporto?

I'm afraid you will have to pay for excess baggage.

Sinto muito, mas o(a) senhor(a) terá de pagar pelo excesso de bagagem.

Would you like a window seat or an aisle seat?

Você gostaria de sentar no lado da janela ou do corredor?

Here's your boarding-pass, you're boarding at gate 23.

Aqui está o seu cartão de embarque, o embarque é no portão 23.

The plane starts boarding at 7 o'clock.
O embarque tem início às 7 horas.
Check out What time is it? p. 48

I'm afraid the flight has been delayed.
Sinto muito, mas o voo está atrasado.

I'm afraid the flight has been cancelled.
Sinto muito, mas o voo foi cancelado.

Thank you very much. Have a good flight!
Muito obrigado. Tenha um bom voo!

CD AT THE AIRPORT: PASSENGER'S PHRASES
NO AEROPORTO: FRASES DO PASSAGEIRO

Can I get a window seat?
Você pode me colocar no assento da janela?

Can I get an aisle seat?
Você pode me colocar no assento do corredor?

Can I take this one as carry-on luggage?
Posso levar esta aqui como bagagem de mão?

How much is the excess baggage charge?
Quanto é a taxa por excesso de bagagem?

What time do we start boarding?
A que horas começamos a embarcar?

What gate number is it?
Qual é o portão?

Where is gate...?
Onde fica o portão...?

Will there be any delay?
Vai haver algum atraso?

Is the flight on schedule?
O voo está no horário?

CD ON THE PLANE: THE CREW'S PHRASES
NO AVIÃO: AS FRASES DA TRIPULAÇÃO

Welcome aboard!
Bem-vindo(a) a bordo!

We'll be taking off shortly.
Vamos decolar em breve.
Fasten your seatbelts, please
Apertem os cintos, por favor.
Put out your cigarette, please.
Por favor, apague o cigarro.
Can you please put your luggage in the overhead compartment?
Você pode, por favor, colocar sua bagagem no compartimento/armário superior?
Please turn off your cell phones, laptops and any other electronic equipment.
Por favor, desliguem os celulares, laptops e qualquer outro equipamento eletrônico.
Keep your seatbelts on, please.
Por favor, mantenham os cintos apertados.
Please, remain seated.
Por favor, permaneçam sentados.
Can you please put away your tray tables?
Vocês podem, por favor, fechar suas bandejas?
Please raise your seats to an upright position.
Por favor, voltem os assentos para a posição vertical.
Crew prepare for takeoff!
Tripulação preparar para decolagem!
Would you like chicken or beef?
O senhor gostaria de frango ou carne?
Check out menus p. 86
What would you like to drink, sir/ma'am?
O que o(a) senhor(a) gostaria de beber?
Good morning everyone, this is the captain speaking...
Bom dia a todos, aqui é o comandante falando...
We'll be landing in São Paulo (Guarulhos) International Airport in a few minutes.
Vamos aterrissar no Aeroporto Internacional de São Paulo (Guarulhos) em alguns minutos.

We'll be landing in Rio de Janeiro (Galeão) International Airport shortly.

Vamos aterrissar no Aeroporto Internacional do Rio de Janeiro (Galeão) em breve.

The local time is 8:17 am.

A hora local é 8h17.

Check out What time is it? p. 48

The temperature is 20 degrees celsius, 68 degrees fahrenheit.

A temperatura é de 20 graus celsius, 68 graus fahrenheit.

Check out the comparative temperature table on p. 31

I hope you have all had a good flight!

Espero que todos tenham tido um ótimo voo!

On behalf of XYZ Airlines, I'd like to thank you all for flying with us.

Em nome da XYZ Airlines, gostaria de agradecer a todos por voar conosco.

CD ON THE PLANE: THE PASSENGER'S PHRASES

NO AVIÃO: AS FRASES DO PASSAGEIRO

How long is this flight?

Quanto tempo dura o voo?

Can you bring me some water, please?

Pode me trazer um copo d'água, por favor?

Can I have some coke/orange juice, please?

Você pode me trazer uma Coca-Cola/um suco de laranja, por favor?

Can you get me some tissue, please?

Você pode me trazer um lenço de papel, por favor?

It's too cold in here. Can you turn down the air conditioner?

Está frio demais aqui. Você pode diminuir o ar-condicionado?

It's too hot in here. Can you turn up the air conditioner?

Está quente demais aqui. Você pode aumentar o ar-condicionado?

My headphones aren't working.

Meus fones de ouvido não estão funcionando.

Could I change seats?
Eu poderia trocar de lugar?
Can you get me another blanket/pillow, please?
Você pode me trazer mais um cobertor/travesseiro, por favor?
How much longer until we get to São Paulo/Rio (de Janeiro)?
Quanto tempo falta para chegar a São Paulo/Rio (de Janeiro)?
What's the time difference between Miami/London and São Paulo/Rio?
Qual é a diferença de horário entre Miami/Londres e São Paulo/Rio?
What's the local time in São Paulo/Rio (de Janeiro) now?
Qual é a hora local em São Paulo/Rio (de Janeiro) agora?
I'm not feeling very well.
Não estou me sentindo muito bem.
I have a headache. Can you get me an aspirin, please?
Estou com dor de cabeça. Você pode me trazer uma aspirina, por favor?
I'm feeling a little dizzy. Can you bring me some medicine?
Estou me sentindo um pouco tonto(a). Você pode me trazer algum remédio?
I feel like throwing up. Can you bring me an airsickness bag?
Estou com vontade de vomitar. Você pode me trazer um saquinho para enjoo?

CD AT THE AIRPORT: THE CUSTOMS OFFICER'S QUESTIONS

NO AEROPORTO: AS PERGUNTAS DO FUNCIONÁRIO DA ALFÂNDEGA

What's the purpose of your visit?
Qual é o motivo da sua visita?
What do you do (for a living)?
O que você faz?
What's your occupation?
Qual é a sua ocupação?/O que você faz?

Is this your first time in São Paulo/Rio (de Janeiro)/etc?

Esta é sua primeira visita a São Paulo/Rio (de Janeiro)/etc?

May I see your passport and ticket, please?

Posso ver seu passaporte e passagem aérea, por favor?

Are you traveling alone?

O(A) senhor(a) está viajando sozinho(a)?

How long do you plan to stay?

Quanto tempo pretende ficar?

Where will you be staying?

Onde o(a) senhor(a) vai ficar?

Thank you. Have a nice stay!

Obrigado. Tenha uma boa estadia!

CD GOING THROUGH CUSTOMS: THE VISITOR'S ANSWERS

PASSANDO PELA ALFÂNDEGA: AS RESPOSTAS DO VISITANTE

I'm here on business.

Estou aqui a trabalho.

I'm here for a conference/lecture.

Estou aqui para um(a) congresso/palestra.

I came to attend a meeting/presentation.

Eu vim para participar de uma reunião/apresentação.

I'm a student/teacher/lawyer/doctor/an engineer/etc.

Eu sou estudante/professor(a)/advogado(a)/médico(a)/engenheiro(a)/etc.

Check out Occupations p. 21

I'm here on vacation.

Estou aqui de férias.

I'm here to study.

Estou aqui para estudar.

I came to visit a friend.

Vim visitar um(a) amigo(a).

I came to visit a relative.

Vim visitar um parente.

I'm staying for two weeks/ten days.

Vou ficar duas semanas/dez dias.

Check out Ordinal and Cardinal numbers p. 46

I'm traveling with a friend/my family...

Estou viajando com um(a) amigo(a)/minha família...

I'm staying at the (name of the hotel).

Vou ficar no (...hotel).

AT THE AIRPORT: VOCABULARY & EXPRESSIONS IN USE

NO AEROPORTO: VOCABULÁRIO & EXPRESSÕES EM USO

Bag; suitcase: mala

Quantas malas você precisa?

How many suitcases do you need?

Baggage claim area: esteira para retirada de malas

Onde fica a esteira para retirarmos as malas?

Where is the baggage claim area?

Cart (US); trolley (UK): carrinho para as malas em aeroportos

"Precisamos de um carrinho para colocar as malas!", disse Mike aos amigos assim que entraram no aeroporto.

"We need a cart for the bags!" said Mike to his friends as soon as they walked into the airport.

Connecting flight: voo de conexão

Que horas o nosso voo de conexão para o Rio de Janeiro parte?

What time does our connecting flight to Rio de Janeiro leave?

Customs: alfândega

Precisamos passar pela alfândega agora.

We need to go through customs now.

Delay: atraso

Não houve atrasos. Chegamos ao nosso destino final no horário certo.

There were no delays. We got to our final destination as scheduled.

Duty free shop: free shop

"Vamos dar uma olhada nos preços no free shop", disse Liz ao marido.

"Let's check the prices at the duty free shop", Liz told her husband.

Excess baggage charge: taxa por excesso de bagagem

Tivemos que pagar vinte dólares de taxa por excesso de bagagem.

We had to pay twenty dollars for excess baggage charge.

Flight attendant: comissário(a) de bordo

Rita trabalha como comissária de bordo na companhia aérea brasileira TAM.

Rita is a flight attendant with TAM Brazilian Airlines.

Jet lag: jet lag

Esticar os braços e pernas durante voos longos é uma boa forma de diminuir o jet lag.

Stretching your arms and legs during long flights is a good way to reduce jet lag.

Land/landed/landed: aterrissar

Refer to Brazilian Portuguese Grammar Tips: Verbs p. 160

Que horas devemos aterrissar?

What time are we supposed to land?

O voo 7101 já aterrissou?

Has flight 7101 landed yet?

Locker: armário; guarda-volumes

Você sabe se eles têm guarda-volumes neste aeroporto?

Do you know if they have lockers at this airport?

Luggage; baggage: bagagem

Posso levar isto como bagagem de mão?

Can I take this as carry-on luggage?

Miss a flight: perder um voo

É melhor você se apressar ou vai perder o seu voo!

You'd better hurry up or you will miss your flight!

Overbook/overbooked/overbooked: overbook; voo lotado

Teremos que ir no próximo voo. Este está lotado.

We'll have to go on the next flight. This one is overbooked.

Overhead compartment: compartimento/armário superior do avião

Você pode colocar sua bagagem de mão no compartimento superior do avião.

You can put your carry-on luggage in the overhead compartment of the plane.

Stewardess: aeromoça; comissária de bordo

Diane foi aeromoça antes de se casar e ter filhos.

Diane used to be a stewardess before she got married and had kids.

Stopover: escala

Não há escalas em nosso voo para Natal.

There are no stopovers on our flight to Natal.

Stop over/stopped over/stopped over: fazer escala

Nosso voo deve fazer escala no Rio para reabastecimento.

Our plane is supposed to stop over at Rio for refueling.

Stretch one's legs and arms: esticar as pernas e os braços

Eu normalmente preciso levantar e esticar as pernas durante voos longos.

I usually need to stand up and stretch my legs during long flights.

Take off/took off/taken off: decolar

Refer to Brazilian Portuguese Grammar Tips: Verbs p. 160

O avião decolou no horário previsto?

Did your plane take off on schedule?

Take-off: decolagem

"Tripulação, preparar para decolagem!", disse o comandante.

"Crew, prepare for take-off!" said the captain.

Time zone: fuso horário

Qual a diferença de fuso horário entre São Paulo e Nova York agora?

What's the time zone difference between São Paulo and New York now?

Visa: visto

Cidadãos britânicos não precisam de visto para entrar nos Estados Unidos.

British citizens don't need a visa to enter the US.

CD GOING FROM THE AIRPORT TO THE HOTEL
INDO DO AEROPORTO AO HOTEL

How can I get to...?
Como posso chegar até...?
Can you tell me how to get to... from here?
Você pode me dizer como chegar ao... daqui?
How can I go from here to...?
Como posso ir daqui até...?
How far is it?
Qual é a distância?
How many blocks from here?
Quantos quarteirões daqui?
Can I get there by bus/subway?
Dá para chegar lá de ônibus/metrô?
Can I take a bus from here?
Dá para ir de ônibus daqui?
Is there a subway (US)/underground (UK) station near here?
Há uma estação de metrô perto daqui?
Where is the nearest bus stop?
Onde é o ponto de ônibus mais próximo?

Is there a train station near here?
Há uma estação de trem perto daqui?
Is it too far to walk?
É muito longe para ir a pé?
Can you call a cab for us?
Você pode chamar um táxi para nós?
Where can I take a taxi?
Onde posso pegar um táxi?
Where can I rent a car near here?
Onde posso alugar um carro aqui perto?

COOL TIP 5: MEANS OF TRANSPORTATION
MEIOS DE TRANSPORTES

The preposition ***"de"*** (by) is used in Portuguese to express what means of transportation is used to go from one place to another. Ex.: ***de carro*** (by car); ***de avião*** (by plane); etc. The equivalent phrase to "on foot" in Portuguese is ***"a pé"***. Check out the means of transportation in the examples below:

Podemos chegar lá de metrô.
We can get there by subway.
Fomos de Natal a Fernando de Noronha de avião.
We went from Natal to Fernando de Noronha by plane.
Seria muito mais emocionante se fossemos do Rio até a Bahia de navio.
It would be a lot more exciting if went from Rio to Bahia by ship.
Mike e Bob viajaram por todo o Brasil de carro.
Mike and Bob traveled all over Brazil by car.
Acho que podemos ir até lá a pé. Não é tão longe assim!
I think we can go there on foot. It's not that far!

CD GETTING A CAB
PEGANDO UM TÁXI

Can you take me to (name of the hotel)?
Você pode me levar para (name of the hotel)?

I need to go to (name of the hotel).
Preciso ir para o (name of the hotel).

Is it far from here?
Fica longe daqui?

How much is a ride to...?
Quanto é uma corrida até...?

Can you take me to Paulista Avenue/Ibirapuera Park?
Você pode me levar à Avenida Paulista/ao Parque Ibirapuera?

How long is the ride from here?
Quanto tempo leva a corrida partindo daqui?

How far is it to...?
Qual a distância até...?

How long does it take to get from here to...?
Quanto tempo leva para chegar daqui até...?

Do you know any short cuts from here?
Você conhece algum atalho daqui?

Is the traffic heavy at this time?
O trânsito é ruim neste horário?

Can you please stop/wait here?
Você pode, por favor, parar/esperar aqui?

How much for the ride, please?
Quanto foi a corrida, por favor?
Check out cool tip 19: Money: Bills and coins used in Brazil p. 130

Keep the change.
Fique com o troco.

THEME GLOSSARY: ORDINAL AND CARDINAL NUMBERS

GLOSSÁRIO TEMÁTICO: NÚMEROS ORDINAIS E CARDINAIS

NÚMEROS ORDINAIS		NÚMEROS CARDINAIS	
1	Um	1st	Primeiro
2	Dois	2nd	Segundo
3	Três	3rd	Terceiro
4	Quatro	4th	Quarto
5	Cinco	5th	Quinto
6	Seis	6th	Sexto
7	Sete	7th	Sétimo
8	Oito	8th	Oitavo
9	Nove	9th	Nono
10	Dez	10th	Décimo
11	Onze	11th	Décimo primeiro
12	Doze	12th	Décimo segundo
13	Treze	13th	Décimo terceiro
14	Quatorze	14th	Décimo quarto
15	Quinze	15th	Décimo quinto
16	Dezesseis	16th	Décimo sexto
17	Dezessete	17th	Décimo sétimo
18	Dezoito	18th	Décimo oitavo
19	Dezenove	19th	Décimo nono
20	Vinte	20th	Vigésimo
21	Vinte e um	21st	Vigésimo primeiro
22	Vinte e dois	22nd	Vigésimo segundo
23	Vinte e três	23rd	Vigésimo terceiro
24	Vinte e quatro	24th	Vigésimo quarto
25	Viente e cinco	25th	Vigésimo quinto
26	Vinte e seis	26th	Vigésimo sexto
27	Vinte e sete	27th	Vigésimo sétimo
28	Vinte e oito	28th	Vigésimo oitavo
29	Vinte e nove	29th	Vigésimo nono
30	Trinta	30th	Trigésimo
40	Quarenta	40th	Quadragésimo
50	Cinquenta	50th	Quinquagésimo
60	Sessenta	60th	Sexagésimo
70	Setenta	70th	Septuagésimo

80	Oitenta	80th	Octagésimo
90	Noventa	90th	Nonagésimo
100	Cem	100th	Centésimo
101	Cento e um	101st	Centésimo primeiro
129	Cento e vinte e nove	129th	Centésimo vigésimo nono
199	Cento e noventa e nove	199th	Centésimo nonagésimo nono
200	Duzentos	200th	Ducentésimo
300	Trezentos	300th	Trecentésimo
400	Quatrocentos	400th	Quadringentésimo
500	Quinhentos	500th	Quingentésimo
600	Seiscentos	600th	Sexcentésimo
700	Setecentos	700th	Septingentésimo
800	Oitocento	800th	Octingentésimo
900	Novecentos	900th	Nongentésimo
1.000	mil	1.000^{th}	Milésimo

1.999	Mil novecentos e noventa e nove
2.000	Dois mil
3.000	Três mil
9.000	Nove mil
9.001	Nove mil e um
9.999	Nove mil novecentos e noventa e nove
10.000	Dez mil
20.000	Vinte mil
90.000	Noventa mil
90.999	Noventa mil novecentos e noventa e nove
100.000	Cem mil
300.000	Trezentos mil
900.000	Novecentos mil
999.999	Novecentos e noventa e nove mil novecentos e noventa e nove

1.000,000	Um milhão	$1.000,000^{th}$	Milionésimo

WHAT TIME IS IT?
QUE HORAS SÃO?

It's seven o'clock.
    São sete horas.
It's seven o'clock in the morning./ It's eight am.
    São sete horas (da manhã).
It's seven pm.
    São dezenove horas./São sete horas (da noite).
    Obs: 9:00 am = nove horas / 9:00 pm = 21:00 - vinte e uma horas or nove da noite.

It's five past seven.
    São sete e cinco.
It's a quarter past seven.
    São sete e quinze.
It's twenty past seven.
    São sete e vinte.
It's half past seven.
    São sete e meia.
It's a quarter to eight.
    São sete e quarenta e cinco./São quinze para as oito.
It's ten to eight.
    São sete e cinquenta./São dez para as oito.
It's midday.
    É meio-dia.
It's midnight.
    É meia-noite.

HOW TO SAY...
COMO DIZER...

(Wrist) watch: relógio de pulso
Clock: relógio de parede
My watch is fast.
    Meu relógio está adiantado.
My watch is slow.
    Meu relógio está atrasado.
Seven o'clock sharp.
    Sete horas em ponto.

Diálogo: Alugando um carro

Atendente da locadora: Bom dia, sr[1]. Em que posso ajudá-lo?
Turista: Oi! Precisamos alugar um carro por uma semana.
Atendente da locadora: Claro, sr. Que tipo de carro o sr. estava pensando?
Turista: Bom, precisamos de um carro com porta-malas grande. Temos quatro malas.
Atendente da locadora: Entendo. Deixe-me checar no nosso sistema o que temos disponível.
Turista: O.k.! Obrigado! A propósito, gostaríamos de seguro completo, por favor.
Atendente da locadora: Muito bom, sr.

1 sr. = senhor (sir)

Check out the translation of this dialogue on p. 175

RENTING A CAR: CAR RENTAL AGENT'S PHRASES
ALUGANDO UM CARRO: FRASES DO ATENDENTE DA LOCADORA

What size car would you like, sir?
  Que tamanho de carro o senhor gostaria?
What kind of car would you like?
  Que tipo de carro o senhor gostaria?

What type of car do you need?

Que tipo de carro o senhor precisa?

We have compact, midsize, full size, luxury, pickup trucks, SUVs[1], and minivans.

Temos carros compactos, médios, grandes, de luxo, picapes, esportivos e minivans.

Would you like a car with GPS[2]?

O sr. gostaria de um carro com GPS?

Let me check what cars we have available today.

Deixe-me checar quais carros temos disponíveis hoje.

What country are you from?

Qual a sua nacionalidade?

Who is going to be the driver?

Quem vai dirigir?

How many people are going to drive?

Quantas pessoas vão dirigir?

Can I see your driver's license, please?

Posso ver sua carteira de motorista, por favor?

How long will you be renting the car?

Por quanto tempo o sr. vai alugar o carro?

The total will be R$ 517.

O total fica em 517 reais.

Check out Ordinal and cardinal numbers p. 46

The gas tank is full. You should fill it up before you return the car.

O tanque está cheio. O sr. deve enchê-lo antes de devolver o carro.

You will need to return it by 4 p.m. on the 16th.

O sr. precisa devolver o carro até as 16h do dia 16.

Check out What time is it? p. 48

We charge an additional R$ 70,00 for every three hours that you are late.

Cobramos uma taxa de 70 reais a cada três horas de atraso.

Check out cool tip Money: Bills and coins p. 130

1 SUV = Sports Utility Vehicle.

2 GPS = Global Positioning System

COOL TIP 6: STICK SHIFT CARS

CARROS COM MARCHA

Before renting a car it's good to know that although automatic cars are becoming increasingly common in Brazil, most Brazilian cars still have a stick shift. At most major car rental agencies you can find automatic cars though. You can ask the car rental agent for an automatic car by saying: ***Eu gostaria de um carro automático.*** (I'd like an automatic car.). Another question you can ask is: ***Vocês têm carros automáticos?*** (Do you have automatic cars?)

RENTING A CAR: TOURIST'S PHRASES

ALUGANDO UM CARRO: FRASES DO TURISTA

I'd like to rent an economy car.
Gostaria de alugar um carro econômico.
We'd like to rent a car for a week.
Gostaríamos de alugar um carro por uma semana.
What are your daily/weekly rates?
Quanto custa por dia/semana?
We need to rent a van/pickup truck.
Precisamos alugar uma van/picape.
We need a car with a big trunk (US)/boot (UK).
Precisamos de um carro com porta-malas grande.
We'd like a four-door car.
Gostaríamos de um carro com quatro portas.
Do you have any convertibles?
Vocês têm algum carro conversível?
I'd like an automatic car.
Eu gostaria de um carro com câmbio automático.
I'd like a car with a stick shift.
Eu gostaria de um carro com câmbio mecânico/manual.
I'd like a car with GPS.
Eu queria um carro com GPS.
What's the extra charge for GPS?
Qual é o custo adicional do GPS?

Is my driver's license valid here?
A minha carteira de motorista é válida aqui?
How much is insurance?
Quanto custa o seguro?
What kind of insurance is this?
Que tipo de seguro é esse?
What does the insurance cover?
O que o seguro cobre?
We'd like full coverage.
Gostaríamos de cobertura total.
Is the tank full?
O tanque está cheio?
Is that free mileage?
A quilometragem é livre?
Can you give us a road map of São Paulo/Rio (de Janeiro)/etc?
Você pode nos dar um mapa rodoviário de São Paulo/do Rio (de Janeiro)/etc?
Where can we return the car?
Onde podemos devolver o carro?
Can we drop the car off in Rio (de Janeiro)/São Paulo/etc?
Podemos devolver o carro no Rio (de Janeiro)/em São Paulo/etc?
What's the speed limit on this road?
Qual é o limite de velocidade nesta estrada?
Check out Usual traffic signs in Brazil p. 59
Is this a toll road?
Esta estrada é pedagiada?
What should we do if the car breaks down?
O que devemos fazer se o carro quebrar?
What should we do if the car is stolen?
O que devemos fazer se o carro for roubado?
What happens if the car is damaged?
O que acontece se o carro for danificado?
What happens if we get a ticket for speeding?
O que acontece se formos multados por excesso de velocidade?

AT THE GAS STATION (US); PETROL STATION (UK)

NO POSTO DE GASOLINA

We're running out of gas.
Estamos ficando sem gasolina.

Let's stop at a gas station (US)/petrol station (UK).
Vamos parar em um posto de gasolina.
Check out cool tip 7: Gas stations in Brazil p. 54

Fifty reais worth of gas/alcohol please!
Cinquenta reais de gasolina/álcool por favor!
Check out cool tip 19: Money: Bills and coins used in Brazil p. 130

Can you fill it up please?
Pode completar, por favor?

This car runs on diesel/alcohol/gasoline.
Este carro é a diesel/álcool/gasolina.

Forty reais regular/super, please.
Quarenta reais de gasolina comum/aditivada, por favor.

Can you check the oil, please?
Você pode checar o óleo, por favor?

Can you check the tires please?
Você pode checar os pneus, por favor?
Check out Theme glossary: The automobile p. 61

Can you wash the windshield please?
Você pode lavar o para-brisa, por favor?

How much do I owe you?
Quanto lhe devo?

Can you tell me how to get to...?
Você pode me informar como chegar até...?
Check out asking for directions p. 70

COOL TIP 7: GAS STATIONS IN BRAZIL

POSTOS DE GASOLINA NO BRASIL

Gas stations in Brazil are not self-service. In order to fill up your tank you have to wait for a ***frentista*** (attendant) to come and fill it up for you. All you need to do is tell him or her how much money's worth of gas or ethanol you want (many cars in Brazil are now "flex", that is, they run on both ethanol and gas) and pay him or her at the end. It's not the customary to tip ***frentistas*** for this service, however, if you ask him to check the tires or the oil, then a tip is certainly expected!
Gas (or any other fuel such as ethanol or diesel) in Brazil is measured and sold by the liter. Check out Cool tip 20: Measuring units in Brazil, p. 135

CD CAR PROBLEMS

PROBLEMAS COM O CARRO

It won't start.

Não consigo dar a partida./Não está pegando.

It seems we have a flat tire.

Parece que o pneu está furado.

Let's get the jack out and lift up the car.
Vamos pegar o macaco e levantar o carro.

Let's get the spare tire.
Vamos pegar o estepe.

The car has broken down.
O carro quebrou.

There seems to be something wrong with the...
Parece haver algo errado com o(a)...

Check out Theme glossary: The automobile p. 61

Let's call a tow truck.
Vamos chamar um guincho.

The car will have to be towed away to the nearest garage.
O carro vai ter que ser guinchado para a oficina mais próxima.

I've locked the keys inside.
Tranquei o carro com as chaves dentro.

Our vehicle has been damaged.
Nosso veículo foi danificado.

Our car has crashed.
Nós batemos o carro.

It keeps stalling.
Está morrendo.

It's overheating.
Está esquentando.

The brakes don't seem to be working properly.
Parece que o freio não está funcionando direito.

The battery has to be recharged.
A bateria precisa ser recarregada.

There seems to be a problem with the gearbox.
Parece haver um problema com a caixa de câmbio.

It's leaking oil.
Está vazando óleo.

Is there a garage nearby?
Tem alguma oficina aqui perto?

How long will it take to fix it?
Quanto tempo vai levar para consertar?

TRAVELING BY CAR: VOCABULARY & EXPRESSIONS IN USE

VIAJANDO DE CARRO: VOCABULÁRIO & EXPRESSÕES EM USO

Be stuck in traffic: ficar preso no trânsito

Desculpe o atraso, fiquei preso no trânsito!

Sorry for the delay, I was stuck in traffic!

Bump: lombada; quebra-molas

Cuidado com a lombada à frente!

Watch out for the bump ahead!

Car crash: colisão; batida; acidente

Aquela estrada é muito perigosa. Já houve muitos acidentes lá.

That road is very dangerous. There have been many car crashes there.

Crash/crashed/crashed: colidir; bater

Refer to Brazilian Portuguese Grammar Tips: Verbs p. 160

Roberto é um ótimo motorista. Nunca bateu o carro.

Roberto is a great driver. He's never crashed his car.

Detour: desvio

Diminua a velocidade, acho que há um desvio lá na frente.

Slow down, I think there's a detour ahead.

Exit: saída

Temos que pegar a saída 23. Acho que é a próxima.

We have to take exit 23. I think it's the next one.

Fender-bender: "batidinha"; "arranhão"

Uma batidinha fez o trânsito parar esta manhã.

A fender-bender caused the traffic to stall this morning.

Fine; ticket: multa de trânsito

Cuidado com o limite de velocidade nesta estrada. Você não quer ganhar uma multa, quer?

Watch out for the speed limit on this road. You don't want to get a fine/ticket, do you?

Fine/fined/fined: multar

Refer to Brazilian Portuguese Grammar Tips: Verbs p. 160

Eles foram multados por excesso de velocidade.

They were fined for speeding.

Flat tire: pneu furado

Ah, não! Parece que estamos com um pneu furado.

Oh no! It seems we have a flat tire.

Garage: oficina mecânica

Você sabe onde fica a oficina mecânica mais próxima?

Do you know where the nearest garage is?

Intersection: cruzamento

Cuidado com o cruzamento!

Watch out for the intersection!

Jam/jammed/jammed: congestionar

O trânsito na avenida principal está congestionado.

The traffic on the main avenue is jammed.

Lane: pista; faixa

Aquela estrada tem quatro pistas.

That's a four-lane freeway.

License plate (US); number plate (UK): placa de carro

Qual é o número da placa de seu carro?

What's your car's license plate number?

One-way street: rua de mão única

Você não pode virar à esquerda aqui. É uma rua de mão única.

You can't turn left here. This is a one-way street.

Pile-up: engavetamento

Houve um engavetamento na rua principal.

There has been a pile-up on main street.

Rush hour: hora do rush

O trânsito é sempre ruim assim no horário do rush.

Traffic is always heavy like this in the rush hour.

Short cut: atalho

Você conhece algum atalho?

Do you know any short cuts?

Shoulder (US); hard shoulder (UK): acostamento

O motorista parou no acostamento para checar o que estava errado com o carro.

The driver pulled over to the shoulder to check what was wrong with his car.

Spare tire: estepe; pneu sobressalente

Você sabe onde fica o estepe neste carro?

Do you know where the spare tire is in this car?

Toll: pedágio

Não esqueça de pegar algum dinheiro para o pedágio!

Don't forget to get some cash for the toll!

Toll road: rodovia pedagiada

Esta estrada é pedagiada?

Is this a toll road?

Traffic jam: congestionamento; engarrafamento

Chegamos atrasados por causa do congestionamento.

We were late because of the traffic jam.

Traffic lights: semáforo

Motoristas descuidados nem sempre respeitam o semáforo.

Careless drivers don't always respect the traffic lights.

Two-way street: rua de mão dupla

Você pode virar à direita aqui. É uma rua de mão dupla.

You can turn right here. It's a two-way street.

USUAL TRAFFIC SIGNS IN BRAZIL
PLACAS DE TRÂNSITO COMUNS NO BRASIL

Stop

Parking permitted

No parking

Obs: "E" stands for the verb ***"estacionar"*** (park)

or

No parking - Tow away zone

Speed limit: 50 kilometers

Obs: 1 kilometer = 0.62 miles

Speed limit: 20 kilometers per hour

Dê a preferência - Yield

Detour

Dead end

Attention: Men at work

Bump

Warning - Slow down

Watch out - Pedestrian crossing

Watch for Children

Toll

Handicapped Parking

THEME GLOSSARY: THE AUTOMOBILE

GLOSSÁRIO TEMÁTICO: O AUTOMÓVEL

Airbag: airbag
Air conditioning: ar-condicionado
Bodywork: funilaria
Brake: breque/freio
Bumper: para-choque
Change the tire: trocar o pneu
Change gear: trocar de marcha
Clutch: embreagem
Dashboard: painel
Driver's seat: banco do motorista
Emergency brake (US); handbrake (UK): breque/freio de mão
Exhaust pipe: escapamento
Fuel: combustível
Fuel injection: injeção eletrônica
Gas (US); petrol (UK): gasolina
Gas pedal (US); accelerator (UK): acelerador
Gear shift (US); gear stick (UK): marcha
Glove compartment: porta-luvas
Headlights: faróis dianteiros
Honk: buzinar
Hood (US); bonnet (UK): capô
Horn: buzina
Hubcap: calota
Jack: macaco
Jack up the car, lift up the car: levantar o carro
License plate (US); number plate (UK): chapa
Luggage rack (US); roof-rack (UK): bagageiro
Passenger seat: banco do passageiro
Power steering: direção hidráulica
Rearview mirror: espelho retrovisor interno
Reverse gear: marcha a ré
Side mirror (US); wing mirror (UK): espelho retrovisor externo
Seat belt, safety belt: cinto de segurança
Shift gear: trocar de marcha
Shock absorber: amortecedor
Spark plug: vela de ignição
Spare tire (US); spare tyre (UK): estepe; pneu sobressalente
Speedometer: velocímetro
Steering wheel: direção; volante
Sunroof: teto solar
Tire (US); tyre (UK): pneu
This car runs on gas/alcohol/diesel/electricity: Este carro funciona com gasolina/álcool/diesel/eletricidade.
Trunk (US); boot (UK): porta-malas
Tune-up: revisão
Wheel: roda
Windshield (US); windscreen (UK): para-brisa
Windshield wipers (US); windscreen wipers (UK): limpadores de para-brisa

ACCOMMODATION

ACOMODAÇÃO & HOSPEDAGEM

MAKING A HOTEL RESERVATION
FAZENDO RESERVA EM UM HOTEL

I'd like to make a reservation for the week of...
Gostaria de fazer uma reserva para a semana de...
I'd like to book a room for three nights.
Gostaria de reservar um quarto para três noites.
Do you have any rooms available for the second week of September?
Você tem quartos disponíveis para a segunda semana de setembro?
How much is the daily rate for a couple/single?
Quanto é a diária para um casal/uma pessoa?
The daily rate for a couple/single is...
A diária para um casal/uma pessoa é...
Is breakfast included?
O café da manhã está incluso?
That also includes breakfast.
Isso já inclui o café da manhã.
Do you take all credit cards?
Vocês aceitam todos cartões de crédito?
We take Amex, Visa and Mastercard.
Aceitamos Amex, Visa e Mastercard.
Sorry, we are fully booked.
Desculpe, estamos lotados.
Can you recommend another hotel nearby?
Você pode recomendar algum outro hotel na região?
Do you know if there is a youth hostel in the city?
Você sabe se há um albergue da juventude na cidade?
Do you have a website?
Vocês têm site na internet?

COOL TIP 8: MOTELS IN BRAZIL

MOTÉIS NO BRASIL

Unlike the US and Canada where motels are a very usual kind of accommodation for tourists, motels in Brazil cater specifically to couples in search of intimacy and discretion. The rooms can be rented by the hour and therefore the turnover is high. They can be found along highways or freeways, but many of them are located in town.

CD KINDS OF ACCOMMODATION AND FACILITIES

TIPOS DE ACOMODAÇÃO E INSTALAÇÕES

What kind of accommodation is it?
Que tipo de acomodação é?

Do you have a swimming pool/sauna/fitness center/gym?
Vocês têm piscina/sauna/sala de ginástica/academia?

Is there a jacuzzi/gym/sauna/etc?
Tem hidromassagem/sala de ginástica/sauna/etc?

Where's the swimming pool/sauna/etc?
Onde fica a piscina/sauna/etc?

It's on the twelfth floor.
Fica no décimo segundo andar.

Is there a minibar in the bedroom?
Tem frigobar no quarto?

Do the rooms have cable TV?
Os quartos têm TV a cabo?

Can I log on to the internet in the room?
Posso acessar a internet no quarto?

Is there a safe in the room?
Tem cofre no quarto?

Is there an iron in the room?
Tem ferro de passar no quarto?

Do you have any rooms with a bathtub?
Vocês têm algum quarto com banheira?

Do you have any rooms with a king-size bed?
Vocês têm algum quarto com cama king-size?

CHECKING IN AT THE HOTEL

FAZENDO O CHECK-IN NO HOTEL

May I help you, sir?

Posso ajudar?

Yes, I have a reservation under the name Smith, Peter Smith.

Sim, tenho uma reserva em nome de Smith, Peter Smith.

Just a minute, sir. Here it is, Mr. Smith. You're staying for three days, right?

Só um minuto, senhor. Aqui está, sr. Smith. O sr. vai ficar três dias, certo?

Can you please fill out this form, sir?

O senhor pode, por favor, preencher este formulário?

You're in room 307, sir. I'll have the bellboy take your luggage to your room.

O senhor vai ficar no quarto 307. Vou pedir para o mensageiro levar sua bagagem até o quarto.

Thank you. By the way, do you have a wake-up call service?

Obrigado. A propósito, vocês têm serviço de despertador?

We do sir. What time would you like to wake up?

Sim, senhor. Que horas o senhor gostaria de ser acordado?

Do you have a porter?

Vocês têm carregador de bagagem?

Do you have valet service?

Vocês têm serviço de manobrista?

Where is the parking/valet attendant?

Onde está o manobrista?

Can you ask someone to get my car?

Você pode pedir para alguém pegar o meu carro?

Where is the elevator (US)/ lift (UK)?

Onde fica o elevador?

Where can I leave my valuables?

Onde posso deixar meus objetos de valor?

Do you have a map of the city?

Vocês têm um mapa da cidade?

I'd like a room facing the sea.

Eu gostaria de um quarto com vista para o mar.

What time is check-out?

A que horas é o check-out?

What time is breakfast/lunch/dinner served?
A que horas o café da manhã/o almoço/o jantar é servido?
O.k., thank you very much.
O.k., muito obrigado.
You're welcome, sir!
Não há de quê, senhor!

AT THE HOTEL: ROOM SERVICE
NO HOTEL: SERVIÇO DE QUARTO

I need an extra pillow/towel/blanket.
Preciso de um travesseiro/toalha/cobertor extra.
I need some more hangers.
Preciso de mais cabides.
I'd like to order a snack.
Gostaria de pedir um lanche.
Check out Menus p. 86 and Theme glossary: Food and beverage p. 101
I'd like to make a phone call to the US/England.
Gostaria de fazer uma ligação telefônica para os Estados Unidos/Inglaterra.
Check out Phone calls p. 73
I'd like to make a collect call.
Gostaria de fazer uma ligação a cobrar.
Do you have laundry service?
Vocês têm serviço de lavanderia?
Do you have a dry-cleaning service?
Vocês têm serviço de lavagem a seco?
Do you have a wake-up call service?
Vocês têm serviço de despertar?
Can you please wake me up at seven a.m.?
Você pode me acordar às sete horas, por favor?
I need a wake-up call at eight a.m.
Preciso ser acordado às oito horas.

AT THE HOTEL: PROBLEMS IN THE ROOM
NO HOTEL: PROBLEMAS NO QUARTO

The TV is not working very well.
A TV não está funcionando direito.

There seems to be a problem with the remote.
Parece haver algum problema com o controle remoto.

The air conditioning/heating is not working well.
O ar-condicionado/aquecimento não está funcionando bem.

The hairdryer is not working.
O secador de cabelos não está funcionando.

There is no toilet paper in the bathroom.
Não há papel higiênico no banheiro.

The toilet isn't flushing.
A descarga não está funcionando.

The sink is clogged.
A pia está entupida.

The shower drain is clogged.
O ralo do chuveiro está entupido.

The elevator/washing machine is out of order.
O elevador/a máquina de lavar está quebrado(a).

The faucet (US)/tap (UK) is dripping badly.
A torneira está pingando muito.

There is a leak on the ceiling.
Tem um vazamento no teto.

Could I change rooms, please?
Eu poderia trocar de quarto, por favor?

CD Diálogo: Problemas com o ar-condicionado

Recepção: Recepção, boa tarde, Mário falando. Em que posso servir?
Turista: Oi. Uhm. Parece que temos um problema com o ar-condicionado. Acho que não está funcionando direito.
Recepção: Não se preocupe, sr[1]. Vou mandar alguém checar imediatamente.
Turista: A propósito, você poderia também mandar uma toalha extra?
Recepção: Claro, sr. Vou pedir para um dos nossos funcionários da governança levar mais algumas toalhas ao seu quarto.
Turista: Muito obrigado!
Recepção: Não há de quê, sr.!

1 sr. = senhor (sir)

Check out the translation of this dialogue on p. 175

CD AT THE HOTEL: REQUESTS AND NEEDS

NO HOTEL: PEDIDOS E NECESSIDADES

Is there a park where I can go jogging around here?
Tem algum parque aqui perto onde eu possa correr?

Is there a place where I can exchange money near here?
Tem algum lugar aqui perto onde eu possa trocar dinheiro?
Check out Currency exchange p. 129

What's the exchange rate to the real?
Qual é a taxa de câmbio para o real?

Where can I rent a car near here?
Onde posso alugar um carro aqui perto?

Is there a place where I can use a computer?
Tem algum lugar onde eu possa usar um computador?

Can you please check if you have any messages for room...?
Você pode, por favor, checar se há algum recado para o quarto...?

Is there a restaurant/snack bar near here?
Tem um restaurante/lanchonete aqui perto?

Where can I buy some food around here?
Onde posso comprar comida aqui perto?
Is there a deli near here?
Tem um empório aqui perto?
Where is the nearest supermarket?
Onde fica o supermercado mais próximo?
What attractions are there to visit around here?
Que atrações há para visitar aqui perto?
How far is the downtown area?
A que distância está o centro da cidade?
Is it safe to walk?
É seguro ir a pé?
How far is the beach?
A que distância está a praia?
Can we get there by subway/bus?
Podemos chegar lá de metrô/ônibus?
Can you call me a cab/taxi?
Você pode me chamar um táxi?
How much does a ride to... cost?
Quanto custa uma corrida até...?
Do you have valet service?
Vocês têm serviço de manobrista?
Can you ask someone to get my car?
Você pode pedir para alguém pegar o meu carro?

CD CHECKING OUT OF THE HOTEL
FAZENDO O CHECK-OUT DO HOTEL

What time is check-out?
A que horas é o check-out?
I'd like to check out please.
Gostaria de fazer o check-out, por favor.
Do you take all credit cards?
Vocês aceitam todos os cartões?
Sure, sir. We take all major credit cards.
Claro, senhor. Aceitamos todos os principais cartões.
Very good, here you are.
Muito bem, aqui está.

Have you eaten or drunk anything from the minibar?

O senhor consumiu alguma coisa do frigobar?

Thank you, sir. Your credit card will be charged a total of R$ 653. Can you sign here, please?

Obrigado, senhor. Vamos cobrar o total de 653 reais no seu cartão. O senhor pode assinar aqui?

Check out cool tip 19: Money: Bills and coins used in Brazil p. 130 and ordinal numbers p. 46

What does this item refer to?

Ao que se refere este item?

Do you need any help with your bags?

O senhor precisa de ajuda com as malas?

I'll have the porter/bell captain bring your bags.

Vou pedir para o carregador de malas/mensageiro trazer suas malas.

I need to go to the airport. Could you call a taxi for me, please?

Preciso ir para o aeroporto, vocês poderiam chamar um táxi para mim, por favor?

Thank you for staying with us. We look forward to seeing you again!

Obrigado por ficar em nosso hotel. Esperamos vê-lo novamente!

CD ASKING FOR DIRECTIONS

PEDINDO INDICAÇÃO DE CAMINHO

How can I get to...?

Como posso chegar até...?

Can you tell me how to get to... from here?

Você pode me dizer como chegar ao... daqui?

Is it too far to walk?

É muito longe para ir a pé?

Is it within walking distance?

Dá para ir a pé?

How far is it?

Qual é a distância?

How many blocks from here?
Quantos quarteirões daqui?
Can I get there by subway (US)/underground (UK)?
Dá para chegar lá de metrô?
Can I take a bus from here?
Dá para ir de ônibus daqui?
Can you show me on the map?
Você pode me mostrar no mapa?
Is there a subway/underground station near here?
Há uma estação de metrô perto daqui?
Where is the nearest bus stop?
Onde é o ponto de ônibus mais próximo?
Excuse me, can you tell me where the nearest gas station (US)/petrol station (UK) is?
Com licença, você pode me dizer onde fica o posto de gasolina mais próximo daqui?
How do I get to the road from here?
Como chego à estrada daqui?
Excuse me, how do I get to the airport from here?
Com licença, como chego ao aeroporto daqui?
Is there a bank/drugstore/shopping mall near here?
Tem um banco/uma farmácia/um shopping aqui perto?
Do you know if there is a convenience store near here?
Você sabe se tem uma loja de conveniência aqui perto?
Is there a cyber/Internet café near here?
Tem um cybercafé aqui perto?

CD Diálogo: Pedindo indicação de caminho

Turista: Desculpe. Você sabe se tem uma farmácia aqui perto?
Transeunte: Tem uma a dois quarteirões daqui. Não tem como errar.
Turista: Obrigado! Também preciso sacar algum dinheiro. Você sabe onde fica o banco mais próximo?
Transeunte: Tem um caixa eletrônico na farmácia que te falei. Você pode sacar dinheiro lá.

Turista: Ah, perfeito! Muito obrigado pela sua ajuda!
Transeunte: Não há de quê!
Check out the translation of this dialogue on p. 176

GIVING DIRECTIONS
INDICANDO O CAMINHO

Keep going straight to Second Avenue.
  Continue reto até a Segunda Avenida.
You have to turn right on the next street.
  Você tem que virar à direita na próxima rua.
Walk one block and turn left.
  Ande um quarteirão e vire à esquerda.
Take a left at the next light.
  Entre à esquerda no próximo farol.
It's just around the corner.
  Fica logo ali na esquina.
You can walk there.
  Dá para ir andando.
You can go there on foot.
  Você pode ir a pé.
It's four blocks from here.
  Está a quatro quarteirões daqui.
It's easier if you take the subway/a cab.
  É mais fácil se você pegar o metrô/um táxi.
If I were you I'd take the bus.
  Se eu fosse você pegaria o ônibus.
There is a subway (US)/underground (UK) station near here.
  Há uma estação de metrô aqui perto.
There's a bus stop near here.
  Tem um ponto de ônibus aqui perto.
You can take the subway on...
  Você pode pegar o metrô na(o)...
You can take the bus and get off on...
  Você pode pegar o ônibus e descer na(o)...
You can get there by subway/underground.
  Você pode chegar lá de metrô.

PHONE CALLS: ASKING THE OPERATOR FOR HELP
LIGAÇÕES TELEFÔNICAS: PEDINDO AJUDA À TELEFONISTA

Can you please help me call the US/England/Canada?
Você pode, por favor, me ajudar a ligar para os Estados Unidos/Inglaterra/Canadá?
What's the area code for New York/London/etc?
Qual é o código de área de Nova York/Londres/etc?
Can you speak slowly, please?
Você pode falar devagar, por favor?
I'd like to make a phone call to England/Canada/the US.
Gostaria de fazer uma ligação para Inglaterra/Canadá/os Estados Unidos.
I'd like to make a collect call to...
Gostaria de fazer uma ligação a cobrar para...
I can't get through to...
Não consigo ligar para...

PHONE CALLS: USUAL PHRASES
LIGAÇÕES TELEFÔNICAS: FRASES USUAIS

Who's calling, please?
Quem está ligando, por favor?
May I ask who's calling and what this is regarding?
Quem gostaria de falar e qual é o assunto, por favor?
Hold on a second, please.
Espere um segundo, por favor.
I'll put you through to...
Vou transferir você para...
I'll transfer your call.
Vou transferir sua ligação.
I'll put you on speaker phone.
Vou pôr você no viva-voz.
I'll put you on hold.
Vou colocar você na espera.
The line is busy.
A linha está ocupada.

I keep getting a busy signal.
  Só dá ocupado.
Can you call me back later?
  Você pode me ligar depois?
I'll call you back later.
  Te ligo mais tarde.
Would you like to leave a message?
  Você gostaria de deixar um recado?
Sorry, I think you have the wrong number.
  Desculpe, acho que você está com o número errado.
Hello, this is Paul/Mary speaking.
  Alô, aqui quem está falando é o Paul/a Mary.
I'm calling about...
  Estou ligando a respeito de...
I'm calling on behalf of...
  Estou ligando em nome de...
Is Mr. Silva in?
  O Sr. Silva está?
Can you please tell him/her to call me back?
  Você pode pedir a ele/ela para retornar minha ligação?
I'll send him an e-mail.
  Vou enviar um e-mail para ele.
My e-mail address is paulosilva at comercial dot com dot br.
  Meu endereço de e-mail é paulosilva arroba comercial ponto com ponto br.
Sorry, this is a bad line, can I call you back?
  Desculpe, a ligação está péssima, posso te ligar de volta?
I left a message on your answering machine.
  Deixei um recado na sua secretária eletrônica.
Please, don't hang up.
  Por favor, não desligue.
Sorry, wrong number!
  Desculpe, foi engano!

COOL TIP 9: COMMON EVERYDAY EXPRESSIONS

EXPRESSÕES COMUNS DO DIA A DIA

Check out the list below for some very common expressions Brazilians use on a daily basis and prepare your ears for them by listening to the CD as you will certainly hear some during your stay in Brazil.

CD Listen!!!

Acabou? (Are you done?)
Aguenta firme aí! (Hang on in there!)
A propósito... (By the way...)
Cara ou coroa? (Heads or tails?)
Com certeza! (Definitely!/Absolutely!)
Como é que é mesmo? (Come again?)
Cuide da sua vida! (Mind your own business!)
Daqui pra frente... (From now on...)
Da hora! (Awesome!)
Dá uma olhada! (Check it out!)
Dá um tempo! (Give me a break!)
Deixa pra lá! (Forget it!)
De jeito nenhum! (No way!)
E aí? (What's up?)
É a sua vez! (It's your turn!)
É por minha conta! (My treat! - offering to pay; ex. at a restaurant)
É isso aí! (That's it!)
Esta é só a ponta do iceberg! (This is just the tip of the iceberg!)
Fala logo! (Shoot!)
Falou! (All right!/Thanks!)
Fique à vontade! (Be my guest!)
Grande coisa! (Big deal!)
Há quanto tempo a gente não se vê! (Long time no see!)
Isso dá!/ Isso serve! (That will do!)
Isso é uma mixaria! (That's peanuts!)
Isso é um roubo! (That's a rip-off! - very expensive)

Isso que é vida! (This is the life!)
Já volto! (I'll be right back!)
Juro por Deus! (I swear to God!)
Lar doce lar! (Home sweet home!)
Me deixa em paz! (Leave me alone!)
Missão cumprida! (Mission accomplished!)
Muito bem!/Parabéns! (Well done!)
Nada feito! (No deal!)
Não é da sua conta! (This is none of your business!)
Não faz mal! (Never mind!)
Não tenho a mínima ideia! (I don't have a clue!)
Não tô nem aí. (I don't give a damn./I don't care.)
Negócio fechado! (Deal!)
O que você está aprontando/tramando? (What are you up to?)
Pelo amor de Deus! (For Christ's sake!)
Puxa vida! (Gee!)
Tá legal!/Tá joia!/Tá bom! (It's okay!; It's all right!)
Tô brincando! (Just kidding!)
Vai com calma!/Pega leve! (Take it easy!)
Valeu! (Thanks!)
Qual é a graça? (What's so funny?)
Qual é a pressa? (What's the rush?)
Qual é o problema? (What's the matter?)
Que mundo pequeno! (Small world!)
Que vergonha! (Shame on you!)
Resumindo... (In short...)
Sem dúvida! (Definitely!)
Sério? (Really?)
Sirva-se! (Help yourself!)
Sorte sua! (Lucky you!)
Tanto faz! (It's all the same!/It makes no difference!/Whatever!)
Te vejo por aí! (I'll see you around!)
Você é quem manda! (You're the boss!)
Você é quem sabe! (It's up to you!)
Você está falando sério? = Cê tá falando sério? (Are you serious?)
Vivendo e aprendendo! (Live and learn!)

FOOD & BEVERAGE

ALIMENTAÇÃO

Diálogo: Procurando um lugar para comer

Turista: Com licença. Você pode recomendar um bom restaurante aqui perto?
Recepção: Claro, sra. Que tipo de comida a sra. estava pensando?
Turista: Talvez massa e salada, e hambúrguer e batata frita para as crianças.
Recepção: Bom, neste caso eu aconselharia a sra. ir à praça de alimentação do shopping Bayside, que fica bem perto.
Turista: Acho que seria bom. Você pode nos dizer como chegar lá?
Recepção: Claro. Vou mostrar no mapa.

Check out the translation of this dialogue on p. 176

LOOKING FOR A PLACE TO EAT: USUAL PHRASES

PROCURANDO UM LUGAR PARA COMER: FRASES COMUNS

Is there a snack bar near here?
    Tem uma lanchonete aqui perto?
Are there any restaurants around here?
    Tem algum restaurante por aqui?
We'd like to go to a fast food restaurant.
    Gostaríamos de ir a um restaurante de fast food.
Do you know where the food court is?
    Você sabe onde fica a praça de alimentação?
Can you recommend any good restaurants?
    Você pode recomendar algum restaurante bom?
Do you know any Brazilian/Chinese/Japanese/French/Italian/Portuguese restaurants around here?
    Você conhece algum restaurante brasileiro/chinês/japonês/francês/italiano/português aqui perto?
Where can we find a good restaurant near here?
    Onde podemos encontrar um bom restaurante aqui perto?
Is there a vegetarian restaurant near here?
    Tem um restaurante vegetariano aqui perto?
Do you know if there is a steak house near here?
    Você sabe se há uma churrascaria aqui perto?

COOL TIP 10: BRAZILIAN STEAKHOUSES
CHURRASCARIAS BRASILEIRAS

Churrascarias are very popular restaurants in Brazil and they can be found virtually everywhere in the country. In most of them you pay a fixed price and food is served on an all-you-can-eat basis, with a salad buffet offering a wide choice of salads and vegetables (which is just perfect in case you happen to be a vegetarian! - check out menus on p. 86) and the waiters coming round to your table with skewers to offer you different kinds of meat cuts. (This serving style is called ***rodízio***, or especially in the south of Brazil, ***espeto corrido***.)

Check out some typical cuts the waiters will bring to your table:
Alcatra (top sirloin)
Fraldinha (flank steak)
Linguiça (Brazilian sausage)
Picanha (rump steak, an all-time favorite cut in Brazil!)
Coxa de frango (chicken thigh)
Coraçãozinho de frango (chicken heart)
Lombo (pork loin)
Queijo coalho (salty lightweight cheese eaten off a stick, very popular in Brazil)

Here's how you can tell the waiter how you'd like your meat:
Malpassado (rare)
Ao ponto (medium)
Bem-passado (well-done)

Most Brazilians love ***churrasco*** (barbecued meat) and, besides going to ***churrascarias***, they also make ***churrasco*** at home themselves. You will find that most residential buildings in Brazil have a facility for this purpose, a barbecue area with a grill for preparing ***churrasco***, usually on the ground floor.

ARRIVING AT THE RESTAURANT
CHEGANDO AO RESTAURANTE

Party of five, please.
Grupo de cinco pessoas, por favor.
There are four of us.
Somos em quatro.
Do you have a no-smoking area?
Vocês têm área para não fumantes?
Can you get us a table by the window?
Você pode nos arrumar uma mesa perto da janela?
Where is the restroom, please?
Onde fica o toalete, por favor?
Sorry, the restaurant is full. We'll have a table for you in about fifteen minutes.
Desculpe, o restaurante está cheio. Teremos uma mesa para vocês em aproximadamente quinze minutos.

AT THE RESTAURANT: ASKING FOR THE MENU
NO RESTAURANTE: PEDINDO O CARDÁPIO

Can you bring me/us the menu, please?
Você pode me/nos trazer o cardápio, por favor?
I'd like to look at the menu, please.
Gostaria de olhar o cardápio, por favor.
Can I take a look at the menu, please?
Posso dar uma olhada no cardápio, por favor?
May I see the menu, please?
Posso ver o cardápio, por favor?
Check out menus p. 86
Can I see your wine list, please?
Posso ver a carta de vinhos, por favor?

AT THE RESTAURANT: WAITER'S PHRASES
NO RESTAURANTE: FRASES DO GARÇOM

How many in your party, please?
Quantas pessoas no seu grupo, por favor?

Would you like to look at the menu?
Gostaria(m) de olhar o cardápio?
Are you ready to order?
Você(s) está/estão prontos para pedir?
Can I get your order?
Posso anotar o pedido de vocês?
What can I get you guys?
O que posso trazer para vocês?
What would you like to drink?
O que você(s) gostaria(m) de beber?
I'll be right back with your drinks.
Volto já com suas bebidas.
Would you like anything else?
Gostaria(m) de mais alguma coisa?
How would you like your steak, sir?
Como o senhor gostaria o seu bife?
What would you like to have for dessert?
O que gostariam de sobremesa?
What about dessert?
E de sobremesa?
Check out menus: desserts p. 96
I'll be right back.
Volto já.

CD AT THE RESTAURANT: ORDERING
NO RESTAURANTE: FAZENDO O PEDIDO

Excuse me, we are ready to order, please.
Com licença, estamos prontos para fazer o pedido, por favor.
Can you please get our order?
Você pode, por favor, anotar o nosso pedido?
I'd like a green salad first, please.
Eu queria primeiro uma salada de alface, por favor.
Check out menus: lunch & dinner p. 92
We'd like to start with the vegetable soup, please.
Gostaríamos de começar com a sopa de legumes, por favor.

Can you bring us some garlic bread and butter, please?
Você pode nos trazer pão de alho e manteiga, por favor?
Do you serve brunch?
Vocês servem brunch?
Do you serve breakfast?
Vocês servem café da manhã?
I'll have the chicken fillet with potatoes, please.
Vou querer o filé de frango com batatas, por favor.
Check out menus: lunch & dinner p. 92
I'll have the steak with french fries, please.
Vou querer o bife com batatas fritas, por favor.
I'd like my steak rare/medium/well-done, please.
Eu queria o meu bife malpassado/no ponto/bem-passado, por favor.
I'd like the spaghetti with meatballs.
Eu queria o espaguete com almôndegas.
Do you have any vegetarian dishes?
Vocês têm algum prato vegetariano?
What kind of pasta do you have?
Que tipo de massas vocês têm?
I'll have a cheeseburger.
Vou querer um X-burguer.

CD AT THE RESTAURANT: ORDERING DRINKS
NO RESTAURANTE: PEDINDO BEBIDAS

I'd like a regular coke with ice please.
Eu queria uma Coca-Cola normal com gelo por favor.
I'd like a diet coke please.
Eu queria uma Coca-Cola diet, por favor.
Check out menus: drinks p. 98 and Theme glossary: food and beverage p. 101
What kind of soft drinks do you have?
Que tipos de refrigerante vocês têm?
Do you have fresh squeezed orange juice?
Vocês têm suco de laranja feito na hora?
I'd like a pineapple/passion fruit juice.
Eu queria um suco de abacaxi/maracujá.

I'll have a beer.

Vou tomar uma cerveja.

Do you have draft beer?

Vocês têm chope?

We'd like some red/white wine, could you please bring us your wine list?

Queríamos vinho tinto/branco, você poderia trazer a carta de vinhos, por favor?

I'd like a shot of whisky, please.

Eu queria uma dose de uísque, por favor.

What kind of cocktails do you have here?

Que tipos de coquetéis você tem aqui?

CD AT THE RESTAURANT: OTHER REQUESTS AND COMMENTS

NO RESTAURANTE: OUTROS PEDIDOS E COMENTÁRIOS

Can you get me a straw, please?

Você pode me trazer um canudinho, por favor?

Can you bring me a glass with ice cubes, please?

Você pode me trazer um copo com gelo, por favor?

Can you bring us the salt/sugar, please?

Você pode nos trazer o sal/açúcar, por favor?

Could you please bring us some bread and butter?

Você poderia, por favor, nos trazer pão e manteiga?

Can you bring us some grated cheese, please?

Você pode nos trazer queijo ralado, por favor?

Can you get me another glass/fork/knife/spoon, please?

Você pode me trazer outro copo/garfo/faca/colher, por favor?

Could you bring me an ashtray, please?

Você poderia me trazer um cinzeiro, por favor?

Can you get me some toothpicks?

Você pode me arrumar palitos de dente?

Can you bring us some napkins?

Você pode nos trazer alguns guardanapos?

Could you please change the tablecloth?

Você poderia trocar a toalha de mesa, por favor?

I'll have a coffee, please.
Vou tomar um café, por favor.
Can you bring me a espresso please?
Você pode me trazer um café expresso?
Where is the restroom, please?
Onde é o toalete, por favor?
How's your dish?
Como está o seu prato?
What's your favorite dish?
Qual é o seu prato favorito?

CD COMMENTS AT THE END OF THE MEAL
COMENTÁRIOS AO FINAL DA REFEIÇÃO

Lunch/dinner was delicious.
O almoço/jantar estava delicioso.
I can't eat anything else, I'm stuffed/full.
Não consigo comer mais nada, estou cheio.
I think I'll pass dessert.
Acho que vou pular a sobremesa.
I'll have a chocolate/vanilla ice cream.
Vou tomar um sorvete de chocolate/baunilha.
Check out menus: desserts p. 96
I think I'll just have some coffee.
Acho que só vou tomar um café.
I'll have a espresso.
Vou tomar um café expresso.
Can you bring us the check (US)/the bill (UK), please?
Pode nos trazer a conta, por favor?
Is the service included?
O serviço está incluso?
Is the tip included?
A gorjeta está inclusa?
I think we should tip the waiter.
Acho que deveríamos dar uma gorjeta para o garçom.
We need a receipt.
Precisamos de um recibo.

Can you give us a receipt, please?

Pode nos trazer um recibo, por favor?

Diálogo: Na lanchonete

Garçonete: Vocês já querem fazer o pedido?
Turista 1: Sim, eu queria um X-burguer e batatas fritas.
Turista 2: Eu quero um sanduíche de atum e uma salada de alface, por favor.
Garçonete: O.k. E bebidas?
Turista 1: Vocês têm suco de laranja feito na hora?
Garçonete: Temos. Quer um?
Turista 1: Sim, por favor.
Turista 2: Eu quero uma Coca-Cola normal com gelo e limão, por favor.
Garçonete: O.k.! Eu volto já com as bebidas.

Check out the translation of this dialogue on p. 176

MENUS
CARDÁPIOS

Check out in this section the names of typical dishes in Brazil for *Café da manhã* (breakfast), *Almoço* (lunch), *Lanches* (snacks) and *Jantar* (dinner). You will find below each menu the explanation for these typical Brazilian foods and drinks.
You can also count on the specific theme glossary for food and beverage on p. 101, where you can look up virtually any food or beverage item you may need to know.

Café da manhã

Café expresso	R$ 1,70
Média	R$ 2,50
Pão com manteiga	R$ 1,50
Chá	R$ 2,00
Torrada	R$ 1,50
Pão de queijo	R$ 1,50
Queijo quente	R$ 4,50
Suco de frutas (laranja, maracujá, acerola, abacaxi, goiaba)	R$ 3,50
Vitamina mista	R$ 4,00
Iogurte batido	R$ 3,20
Gemada	R$ 2,20
Misto quente	R$ 4,00
Chocolate	R$ 3,20
Bolo (fubá, cenoura, milho, laranja, limão, chocolate)	R$ 3,50
Pão doce	R$ 2,50
Sonho	R$ 2,30

Café da manhã: Breakfast

Café expresso: Espresso

Média: Coffee and milk, which is also called ***pingado*** at some bakeries and other places.

Pão c/ manteiga: Bread and butter; ***c/*** stands for ***com*** = with. You can also order your ***pão com manteiga "na chapa"***, which is very common in Brazil and basically means it's placed on a hot plate before serving.

Chá: Tea

Torrada: Toast

Pão de queijo: Cheese bread; small cheese-flavored rolls, made of cassava flour and commonly sold at bakeries and snack bars in Brazil.

Queijo quente: Hot cheese sandwich

Suco de frutas: Fruit juice – ***laranja*** (orange); ***maracujá*** (passion fruit); ***acerola*** (small bright red fruit which contains lots of vitamin C, typical in Brazil), ***abacaxi*** (pineapple), ***goiaba*** (guava). Obs. ***suco de laranja*** (orange juice) is usually fresh squeezed at most ***padarias*** (bakeries), ***lanchonetes*** (snack bars) and restaurants.

Vitamina mista: A drink made of milk and fruit (apple, banana, papaya, etc) shaken in a blender.

Iogurte batido: Yogurt shaken in a blender

Gemada: Sweetened mixture of egg yolk and sugar. Sometimes port is added.

Misto quente: Hot ham and cheese sandwich.

Chocolate: Milk shaken with chocolate in a blender. You may also hear the name ***Toddy*** or ***Nescau***, two popular brands/ trademarks of powdered chocolate in Brazil. You can order it hot as well by saying ***chocolate quente*** = hot chocolate.

Bolo: Cake – ***fubá*** (maize flour, corn meal), ***cenoura*** (carrot); ***milho*** (corn); ***laranja*** (orange); ***limão*** (lemon); ***chocolate*** (chocolate)

Pão doce: Sweet bread. There is a great variety of ***pães doces*** (sweet breads) in Brazil. Some of them are filled with ricotta, fruits such as apple, banana and nuts. Many of them are topped with vanilla cream.

Sonho: Doughnut-like pastry filled with vanilla cream and sprinkled with sugar; a typical Brazilian treat commonly found in Brazilian bakeries.

Lanches & Salgados

Coxinha	R$ 2,50
Empadinha (frango, palmito, camarão)	R$ 2,70
Esfiha	R$ 2,00
Kibe	R$ 3,00
Bolinho de carne	R$ 2,70
Bolinho de bacalhau	R$ 3,50
Pastel (carne, queijo, palmito)	R$ 3,00
Pizza (mussarela, portuguesa, calabresa, frango com catupiry)	R$ 3,50
Hambúrguer	R$ 4,00
X-burguer	R$ 4,90
X-burguer salada	R$ 5,70
X-tudo	R$ 6,50
Bauru	R$ 5,50
Misto quente	R$ 4,00
Queijo quente	R$ 3,20
Queijo branco	R$ 4,50
Queijo provolone	R$ 5,20
Americano	R$ 6,50
Salame	R$ 6,00
Mortadela	R$ 3,80
Cachorro quente	R$ 4,00
Beirute	R$ 7,50
Açaí na tigela	R$ 6,30

Lanches: Snacks

Salgados: Any salty treat such as ***coxinhas***, ***empadinhas***, ***esfihas***, etc.

Coxinha: Basically a ball of minced chicken that has been battered and fried. A typical treat commonly found in bakeries and snack bars in Brazil. A variation of the ***coxinha*** is the ***coxinha com catupiry*** (coxinha with catupiry), which includes catupiry cheese, a special kind of Brazilian cream cheese, very popular all over Brazil and used in many Brazilian dishes.

Empadinha: A small salty flat cake usually filled with ***frango*** (chicken), ***palmito*** (palm hearts) or ***camarão*** (shrimp). A typical Brazilian treat commonly found in bakeries and snack bars.

Esfiha: Sfiha. There's the open sfiha and the closed one, which has a triangular shape. They are usually filled with either meat or cheese. Many popular Brazilian fast food chains specialize in sfihas.

Kibe: A deep-fried croquette made with ground beef, wheat and chopped onions. A Lebanese import very popular in Brazil.

Bolinho de carne: Meat croquette, deep-fried mass of minced meat.

Bolinho de bacalhau: Codfish croquette, deep-fried mass of minced cod.

Pastel: fried turnover – ***pastel de carne*** (meat fried turnover); ***pastel de queijo*** (cheese fried turnover); ***pastel de palmito*** (palm hearts fried turnover) They are very popular at the ***feira livre*** (street market) and can also be usually found in bakeries and snack bars.

Pizza: There are several traditional kinds of pizza in Brazil. Check out the names below for the most typical ones and their toppings:

muçarela (mozzarella cheese, some also include sliced tomatoes or olives)

portuguesa (ham, mozzarella cheese, eggs and onions)

calabresa (sausage and onions)

frango c/ catupiry (shredded chicken and catupiry cheese, a special kind of Brazilian cream cheese, very popular all over Brazil and used in many Brazilian dishes)

quatro queijos (four cheeses: mozzarella cheese, parmesan cheese, catupiry cheese and gorgonzola cheese)

marguerita (mozzarella cheese, chopped tomatoes and basil).

You will find that there are lots of delivery pizza restaurants everywhere you go in Brazil. Pizza is also sold at many bakeries and snack bars by the slice. It's also now usual to find ***pizza doce*** (sweet pizza) in many delivery pizza restaurants in Brazil. The most usual flavors are ***chocolate*** (chocolate), ***banana*** (banana) and ***Romeu & Julieta*** (white cheese and guava jam).

Hambúrguer: Hamburger

X-burguer: Cheeseburger; the X stands for "cheese" since the pronunciation of this letter in Brazil sounds somewhat like the pronunciation of the word "cheese" in English. Here is a good example of how creative Brazilians are!

X-burguer salada: A cheeseburger with lettuce, tomatoes and mayo.

X-tudo: A cheeseburger with lots of other ingredients, such as bacon, a fried egg, lettuce, tomatoes, etc. There are several variations for this sandwich in Brazil. The word "tudo" in Portuguese means "everything", therefore the name of this sandwich, ***X-tudo*** can be translated literally as "cheese-everything".

Bauru: A hot ham and cheese sandwich with tomatoes, a typical Brazilian sandwich.

Misto quente: A hot ham and cheese sandwich.

Queijo quente: A hot cheese sandwich.

Queijo branco: A white cheese sandwich. ***Queijo branco*** (white cheese) is also called in Brazil ***queijo minas*** (type of cheese traditionally produced in the Brazilian state of ***Minas Gerais***. Check out the map on p. 217 for the Brazilian states).

Queijo provolone: A provolone cheese sandwich. ***Provolone*** = soft smoked cheese, light in color, made from cow's milk.

Americano: A hot sandwich made with ham, cheese, lettuce, egg and tomatoes.

Salame: A salami sandwich. ***Salame*** = type of seasoned preserved sausage, usually eaten cold, originally from Italy.

Mortadela: A mortadella sandwich, a very popular sandwich in Brazil, especially in São Paulo. ***Mortadela*** = large Italian sausage.

Cachorro-quente: Hot-dog

Beirute: A sandwich made with ***pão sírio*** (pita bread) and that usually includes roast beef, cheese, lettuce, tomatoes and a fried egg. There are several variations for this dish and other ingredients may be used. A usual dish commonly found in snack bars and bakeries in Brazil. Its name honors the capital of Lebanon, where it probably originated.

Açaí na tigela: It can be translated literally as "açaí in the bowl". ***Açaí na tigela*** is a dish made of frozen and mashed ***açaí*** (a fruit that grows in the Amazon rainforest); it is served in a bowl and sometimes topped with other fruits, especially ***banana***, and ***granola*** (cereal: rolled oats, nuts, etc.). It has a subtle chocolate aftertaste and it's supposed to be very healthy!

COOL TIP 11: ACARAJÉ

Acarajé is a typical Brazilian dish, traditionally found in the Brazilian northeastern state of ***Bahia*** (check out the map on p. 217), especially in the city of ***Salvador***. It's basically a ball of peeled black-eyed peas deep-fried in ***azeite de dendê*** (palm oil); it's cut in half and stuffed with ***vatapá*** (fish or chicken with coconut milk, shrimps, peanuts and spices mashed into a creamy paste) and ***caruru*** (spicy mix made from shrimp, peanuts, tomato, green pepper and other ingredients).

Almoço & Jantar

Saladas e Legumes

Salada mista (com alface, tomate, pepino, palmito, azeitona)	R$ 5,50
Maionese	R$ 5,20
Salada de berinjela, pimentão e cebola	R$ 5,30
Salpicão de frango	R$ 5,20

Sopas

Canja	R$ 4,50
Sopa de legumes	R$ 4,00
Creme de aspargos	R$ 4,20

Massas

Espaguete à bolonhesa com almôndegas	R$ 12,50
Lasanha vegetariana	R$ 11,20
Macarronada	R$ 11,50
Fettuccine com berinjela à milanesa	R$ 14,20
Nhoque ao sugo & frango à parmegiana	R$ 17,50

Carnes

Picanha com arroz e fritas

Frango assado com batatas R$ 17,20

Estrogonofe R$ 16,50

(de carne ou de frango) R$ 14,50

Bife à parmegiana

Lombinho R$ 16,20

Carne de sol R$ 15,50

Bisteca de porco R$ 15,70

Frango à milanesa com arroz e legumes R$ 12,20

Peixes R$ 16,30

Bacalhau ao forno

Salmão grelhado R$ 21,20

Camarão na moranga R$ 23,50

Filé de peixe grelhado ao molho de alcaparras R$ 20,50

Salada de atum R$ 18,70

Risoto de camarão R$ 14,20

Acompanhamentos R$ 13,70

Pão

Fritas R$ 2,20

Polenta R$ 4,50

Ovos R$ 4,20

(fritos, mexidos ou cozidos) R$ 4,70

Porção de arroz

Farofa R$ 5,50

Omelete com queijo R$ 6,20

R$ 7,30

COOL TIP 12: RICE & BEANS
ARROZ & FEIJÃO

One of the most typical and traditional food combinations in Brazil is ***arroz e feijão*** (rice and beans). As a matter of fact many Brazilians have ***arroz e feijão*** on a daily basis, combined with beef, chicken, ground beef, sausage, potatoes, salads and other ingredients.

Almoço & Jantar: Lunch & Dinner
Saladas e legumes: Salads and vegetables
Salada mista (com alface, tomate, pepino, palmito, azeitona): A salad with lettuce, tomatoes, cucumber, hearts of palm and olives.
Maionese: Besides meaning "mayo", the word maionese in Brazilian Portuguese is also used to refer to a salad that basically consists of cooked potatoes, carrots, peas and eggs mixed with mayonnaise. Maionese is a very usual dish in Brazil.
Salada de berinjela, pimentão e cebola: A salad with eggplant, green & red pepper and onion.
Salpicão de frango: A salad that consists basically of shredded chicken, green & red pepper, raisin and carrots. Some ingredients may vary.
Sopas: Soups
Canja: Chicken soup
Sopa de legumes: Vegetable soup
Creme de aspargos: Asparagus soup
Massas: Pasta
Espaguete à bolonhesa com almôndegas: Spaghetti bolognese with meatballs
Lasanha vegetariana: Vegetarian lasagna
Macarronada: Spaghetti with tomato sauce and cheese.
Fettuccine com berinjela à milanesa: Fettuccine with breaded eggplant
Nhoque ao sugo & frango à parmegiana: Gnocchi with tomato sauce & chicken parmigiana
Carnes: Meats
Picanha com arroz e fritas: Rump steak with rice and French fries
Frango assado com batatas: Roast chicken with potatoes
Estrogonofe (de carne ou de frango): Stroganoff (beef or chicken)

Bife à parmegiana: Beefsteak parmigiana

Lombinho (de porco): Loin of pork

Carne de sol: "Sun beef", a typical dish in the northeast of Brazil, it consists basically of salted beef which is exposed to the sun for a couple of days to cure.

Bisteca de porco: Pork chop

Frango à milanesa com arroz e legumes: Breaded chicken steak with rice and vegetables.

Peixes: Seafood

Bacalhau ao forno: Cod baked in the oven, usually served with potatoes, carrots, onions and olives.

Salmão grelhado: Grilled salmon

Camarão na moranga: "Shrimp in the pumpkin", a typical Brazilian dish served from the pumpkin. Apart from shrimp, this dish often includes cream cheese or ***catupiry*** cheese, tomato sauce and coconut milk.

Filé de peixe grelhado ao molho de alcaparras: Grilled fish with caper sauce

Salada de atum: Tuna fish salad

Risoto de camarão: Shrimp risotto

Acompanhamentos: Side orders

Pão: Bread

Fritas: French fries

Polenta: Fried porridge made of corn meal, originally from Italy.

Ovos (fritos, mexidos ou cozidos): Eggs (fried, scrambled or boiled)

Porção de arroz: Bowl of rice

Farofa: Toasted manioc flour with butter, bacon, onion, parsley and olives. ***Farofa*** accompanies many Brazilian dishes, as for example ***Feijoada***. Check out Cool tip 13: Feijoada p. 95

Omelete com queijo: Omelette with cheese

COOL TIP 13: FEIJOADA BRAZIL'S NATIONAL DISH

Feijoada is by far the most popular dish in Brazil. It is prepared with black beans and cooked with a variety of beef and pork meats, such as sausage, ***carne-seca*** (jerky), bacon, pork ribs, etc. ***Feijoada*** is traditionally served with rice, ***farofa*** (toasted manioc flour), ***couve mineira*** (collard greens), ***torresmo*** (pork rinds) and a peeled and sliced orange. The name ***feijoada*** comes from ***feijão*** (beans).

Sobremesas

Salada de frutas	R$ 3,50
Frutas da época (mamão, melão, abacaxi, uvas)	R$ 2,70
Musse (chocolate, maracujá, limão)	R$ 3,40
Arroz-doce	R$ 3,20
Pudim de leite	R$ 4,30
Manjar-branco	R$ 4,00
Bolo (fubá, chocolate, cenoura, laranja, limão, aipim)	R$ 3,20
Tortas (maçã, morango, abacaxi, ricota, limão)	R$ 3,50
Creme de papaya com cassis	R$ 4,70
Quindim	R$ 2,70
Brigadeiro	R$ 2,50
Curau de milho	R$ 3,70
Doce de abóbora com coco	R$ 3,50
Cocada	R$ 2,50
Sorvete (baunilha, chocolate, morango)	R$ 4,30
Chantili	R$ 2,50

Sobremesas: Desserts

Salada de frutas: Fruit salad

Frutas da época: Fruits in season – ***mamão*** (papaya), ***melão*** (melon), ***abacaxi*** (pineapple), ***uvas*** (grapes)

Musse: Mousse – ***chocolate*** (chocolate), ***maracujá*** (passion fruit), ***limão*** (lemon)

Arroz-doce: Rice pudding

Pudim de leite: Milk pudding

Manjar-branco: "blancmange", pudding made with coconut milk, cornstarch and sugar, topped with caramel sauce and prunes.

Bolo: Cake – ***fubá*** (maize flour; corn meal), ***chocolate*** (chocolate), ***cenoura*** (carrot), ***laranja*** (orange), ***limão*** (lemon), ***aipim*** (cassava, manioc)

Tortas: Pies – ***maçã*** (apple), ***morango*** (strawberry), ***abacaxi*** (pineapple), ***ricota*** (ricotta cheese), ***limão*** (lemon)

Creme de papaya com cassis: Papaya cream with cassis liqueur, a popular summer dessert in Brazil.

Quindim: Popular Brazilian sweet made from egg yolks, coconut and sugar.

Brigadeiro: Chocolate truffle with chocolate sprinkles on top, a popular Brazilian sweet, very usual at birthday parties in Brazil.

Curau de milho: Popular Brazilian dessert, basically corn pudding, made from fresh corn, milk and sugar, sprinkled with cinnamon.

Doce de abóbora c/ coco: Pumpkin compote with coconut, a traditional Brazilian dessert.

Cocada: Basically a coconut bar, traditional Brazilian candy made of coconut, condensed milk and sugar.

Sorvete: Ice cream – ***sorvete de baunilha*** (vanilla ice cream), ***sorvete de chocolate*** (chocolate ice cream), ***sorvete de morango*** (strawberry ice cream)

Chantili: whipped cream

Bebidas

Água mineral (com gás ou sem gás)	R$ 2,50
Refrigerantes (Coca-Cola; Guaraná; Soda; Fanta)	R$ 3,20
Sucos (abacaxi, acerola, goiaba, laranja, limão, maracujá, melancia)	R$ 3,50
Água de coco	R$ 3,00
Caldo de cana	R$ 2,30
Vitamina mista	R$ 4,00
Limonada	R$ 2,50
Milk-shake (chocolate, morango)	R$ 4,50
Café expresso	R$ 1,70
Chá	R$ 2,00
Leite	R$ 2,30

Bebidas alcoólicas

Cerveja	R$ 3,50
Chope	R$ 4,30
Caipirinha	R$ 4,50
Batida (coco, maracujá, limão, amendoim, abacaxi)	R$ 3,50
Vinho (branco, tinto, rosé)	R$ 4,20
Vinho do Porto	R$ 3,30
Conhaque	R$ 3,50
Vodca	R$ 3,70
Martíni seco	R$ 3,30
Gim-tônica	R$ 3,70
Uísque	R$ 4,70

Bebidas: Drinks

Água mineral: Mineral water – ***com gás*** (carbonated/sparkling); ***sem gás*** (natural/still)

Refrigerantes: Soft drinks – ***Coca-Cola/Coca*** (coke); ***Guaraná*** (a popular soft drink in Brazil, made from the Amazonian berry guaraná); ***Soda*** (lemon-lime soda); ***Fanta*** (popular brand of orange--flavored soft drink in Brazil).

Sucos: Juices – ***abacaxi*** (pineapple), ***acerola*** (small bright red fruit which contains lots of vitamin C, typical in Brazil), ***goiaba*** (guava), ***laranja*** (orange), ***limão*** (lemon), ***maracujá*** (passion fruit), ***melancia*** (watermelon)

Obs. ***suco de laranja*** (orange juice) is usually fresh squeezed at most ***padarias*** (bakeries), ***lanchonetes*** (snack bars) and restaurants.

Água de coco: Coconut water, liquid from the young green coconut, commonly sold on the beaches and other places where the coconut is cut in front of the customer. It can also be found in disposable cartons at most bakeries, snack bars and supermarkets in Brazil.

Caldo de cana: Sugarcane juice, also called ***garapa*** in Brazil.

Vitamina mista: A drink made of milk and fruits (apple, banana, papaya, etc) shaken in a blender.

Limonada: Lemonade

Milk-shake: Milk shake – ***chocolate*** (chocolate), ***morango*** (strawberry)

Café expresso: Espresso

Chá: Tea

Leite: Milk

Bebidas alcoólicas: Alcoholic beverages

Cerveja: Beer

Chope: Draft beer

Caipirinha: Caipirinha, Brazil's national cocktail. Check cool tip 14, p. 100

Batida: "Shaken", a traditional Brazilian cocktail made with the national alcoholic drink, ***cachaça***, also popularly known in Brazil as ***pinga*** (sugarcane liquor), fruit juice and sugar, all shaken with ice in a blender. ***Leite condensado*** (condensed milk) is sometimes added. ***Batida*** is sometimes made with vodka instead of ***cachaça***. Check out below for some typical batidas in Brazil:

Batida de coco (made with coconut milk)

Batida de maracujá (passion fruit)

Batida de limão (lemon)

Batida de amendoim (peanuts)

Batida de abacaxi (pineapple)

Vinho: Wine – ***vinho branco*** (white wine), ***vinho tinto*** (red wine), ***vinho rosé*** (rosé)

Vinho do Porto: Port

Conhaque: Brandy

Vodca: Vodka

Martíni seco: Dry martini

Gim-tônica: Gin and tonic

Uísque: Whisky

Obs: ***com gelo*** (on the rocks); ***puro*** (straight)

COOL TIP 14: CAIPIRINHA BRAZIL'S NATIONAL COCKTAIL

Caipirinha, the traditional and now world famous Brazilian cocktail, is made with crushed unpeeled pieces of lime, sugar, ice and ***cachaça*** (Brazilian sugarcane liquor). The IBA – International Bartender Association has listed ***caipirinha*** as one of their official cocktails, under the category "fancy drink". A variation of ***caipirinha***, prepared with vodka instead of ***cachaça***, is called ***caipiroska***. It's also now common in Brazil to drink ***caipirinhas*** made from other fruits like strawberry, kiwi or passion fruit, instead of lime.

THEME GLOSSARY: FOOD AND BEVERAGE

GLOSSÁRIO TEMÁTICO: ALIMENTAÇÃO

BREAKFAST:
CAFÉ DA MANHÃ

Obs: Check out typical dishes for breakfast in Brazil on p. 86

Bacon and eggs: ovos com bacon
Black coffee: café puro
Bread and butter: pão com manteiga
Brown sugar: açúcar mascavo
Butter: manteiga
Cake: bolo
Cereal: cereal
Cheese: queijo
Chocolate cake: bolo de chocolate
Chocolate milk shake: milk-shake de chocolate
Coffee: café
Coffee and milk: café com leite
Cookie: biscoito doce; bolacha
Corn flakes: flocos de milho
Cottage cheese: queijo fresco; ricota
Cracker: biscoito de água e sal
Cream cheese: requeijão
Croissant: croissant
Doughnut: doughnut, donut
Egg whites: claras de ovo
Egg yolk: gema de ovo
Fried eggs: ovos fritos
Garlic bread: pão de alho
Ham: presunto
Ham and eggs: ovos com presunto
Hard-boiled egg: ovo cozido
Honey: mel
Jam: geleia
Juice: suco
Mango juice: suco de manga
Maple syrup: melado de maple (bordo)
Margarine: margarina
Milk: leite
Milk shake: milk-shake
Muffin: bolinho
Orange juice: suco de laranja
Pancake: panqueca
Parmesan cheese: queijo parmesão
Passion fruit juice: suco de maracujá
Peach jam: geleia de pêssego
Peanut butter: pasta de amendoim
Pineapple juice: suco de abacaxi
Pita bread: pão sírio
Poached eggs: ovos pochê
Powdered milk: leite em pó
Pretzel: pretzel
Rolls: pãezinhos
Rye bread: pão de centeio
Scrambled eggs: ovos mexidos
Sesame seed bun: pão com gergelim
Skimmed milk: leite desnatado
Strawberry jam: geleia de morango
Sugar: açúcar
Sweetner: adoçante
Toast: torrada
Watermelon juice: suco de

melancia
White bread: pão branco
Whole wheat bread: pão integral
Yogurt: iogurte

LUNCH AND DINNER: ALMOÇO E JANTAR

Obs: Check out typical dishes for lunch & dinner in Brazil on p. 92

A light meal: uma refeição leve
Appetizer: aperitivo
Assorted cheese: queijos sortidos
Boiled eggs: ovos cozidos
Brazilian food: comida brasileira
Cheese soufflé: suflê de queijo
Cheese spread: patê de queijo
Chicken soup: canja de galinha
Chips: batata frita
Eggs: ovos
French fries: batata frita
Fried eggs: ovos fritos
Garlic bread: pão de alho
German food: comida alemã
Grated cheese: queijo ralado
Greek food: comida grega
Italian food: comida italiana
Lasagna: lasanha
Lettuce and tomato salad: salada de alface e tomate
Liver spread: patê de fígado
Mozzarella: muçarela
Olives: azeitonas
Omelet: omelete
Onion soup: sopa de cebola
Pasta: massas
Peanuts: amendoim
Portuguese food: comida portuguesa
Prawn cocktail: coquetel de camarões
Quail eggs: ovos de codorna
Scrambled eggs: ovos mexidos
Seasoning: tempero
Shrimp cocktail: coquetel de camarões
Side order: acompanhamento
Soufflé: suflê
Soup: sopa
Spaghetti: espaguete
Spaghetti with meatballs: espaguete com almôndegas
Spanish food: comida espanhola
Spinach soufflé: suflê de espinafre
Spread: patê
Tuna spread: patê de atum
Vegetable soup: sopa de legumes

MEAT: CARNE

Beef: carne bovina, carne de vaca
Chicken: frango
Chicken breast: peito de frango
Chicken pie: torta de frango
Chicken steak: bife de frango
Duck: pato
Ground beef: carne moída
Lamb: cordeiro
Mince: carne moída
Mutton: carneiro
Pork: carne de porco
Pork chops: costeletas de porco
Poultry: aves
Quail: codorna
Rabbit: coelho
Roast beef: carne assada

Roast chicken: frango assado
Roast turkey: peru assado
Sausage: linguiça
Steak: bife
Turkey: peru
Veal: vitela

SEAFOOD: FRUTOS DO MAR

Obs: Check out typical dishes for lunch & dinner in Brazil on p. 92

Anchovies: anchovas
Cod: bacalhau
Fish: peixe
Fried shrimp: camarão frito
Lobster: lagosta
Octopus: polvo
Oyster: ostra
Salmon: salmão
Sardine: sardinha
Shellfish: marisco
Shrimp: camarão
Smoked salmon: salmão defumado
Sole: linguado
Squid: lula
Trout: truta
Tuna: atum

VEGETABLES: LEGUMES

Artichoke: alcachofra
Asparagus: aspargo
Beans: feijão
Beet (US); beetroot (UK): beterraba
Broccoli: brócolis
Carrot: cenoura
Cauliflower: couve-flor
Cabbage: repolho
Celery: aipo
Corn on the cob: milho cozido
Cucumber: pepino
Eggplant: berinjela
Garlic: alho
Green pepper: pimentão
Hearts of palm: palmito
Leek: alho-poró
Lentil: lentilha
Lettuce: alface
Mushroom: cogumelo
Okra: quiabo
Olive: azeitona
Onion: cebola
Parsley: salsinha
Peas: ervilhas
Potato: batata
Radish: rabanete
Spinach: espinafre
Squash: abóbora
String beans: vagem
Tomato: tomate
Turnip: nabo
Zucchini: abobrinha

FRUIT: FRUTAS

Apple: maçã
Apricot: damasco
Avocado: abacate
Banana: banana
Cherry: cereja
Coconut: coco
Fig: figo
Grapefruit: toranja
Grapes: uvas
Guava: goiaba
Kiwi: kiwi

Lemon: limão
Mango: manga
Melon: melão
Orange: laranja
Papaya: papaia
Passion fruit: maracujá
Peach: pêssego
Pear: pera
Pineapple: abacaxi
Plum: ameixa fresca
Prune: ameixa seca
Raisins: uvas-passas
Raspberry: framboesa
Strawberry: morango
Tangerine: mexerica
Watermelon: melancia

DESSERTS: SOBREMESAS

Obs: Check out typical desserts in Brazil on p. 96

Apple pie: torta de maçã
Cakes: bolos
Chocolate cake: bolo de chocolate
Chocolate ice cream: sorvete de chocolate
Chocolate mousse: musse de chocolate
Fruit salad: salada de fruta
Ice cream: sorvete
Mousse: musse
Rice pudding: arroz-doce
Vanilla ice cream: sorvete de creme
Whipped cream: chantili

DRY FRUIT AND NUTS: FRUTAS SECAS E CASTANHAS

Almond: amêndoa
Brazil nut: castanha-do-pará
Cashew nut: castanha de caju
Chestnut: castanha
Date: tâmara
Hazel nut: avelã
Peanut: amendoim
Prune: ameixa seca
Raisin: uva-passa

DRESSING AND CONDIMENTS: TEMPEROS E CONDIMENTOS

Basil: manjericão
Caper: alcaparra
Cinnamon: canela
Clove: cravo
Ketchup: ketchup
Mayonnaise: maionese
Mustard: mostarda
Olive oil: azeite
Oregano: orégano
Pepper: pimenta
Pickles: picles
Relish: molho condimentado
Rosemary: alecrim
Saffron: açafrão
Salt: sal
Sauce: molho
Spice: tempero, condimento
Spicy: picante, condimentado
Tomato sauce: molho de tomate
Vinegar: vinagre

SNACKS: LANCHES

Obs: Check out typical snacks in Brazil on p. 88

A slice of pizza: uma fatia de pizza

Cheeseburger: X-burguer; hambúrguer com queijo

Chicken sandwich: sanduíche de frango

Hamburger: hambúrguer

Hot-dog: cachorro-quente

Pizza: pizza

Tuna sandwich: sanduíche de atum

BEVERAGES: BEBIDAS

Obs: Check out typical drinks in Brazil on p. 98

Black coffee: café puro

Cappuccino: cappuccino

Chocolate milk: leite achocolatado

Coffee and milk: café com leite

Juice: suco

Lemonade: limonada

Milk shake: milk-shake

Mineral water: água mineral

Soft drink: refrigerante

Sparkling water: água com gás

Tea: chá

TOURIST ATTRACTIONS & LEISURE AND ENTERTAINMENT

ATRAÇÕES TURÍSTICAS & LAZER E DIVERSÃO

Diálogo: Que lugares devemos visitar?

Turista: Oi. Gostaria de fazer um passeio. Você pode recomendar alguns lugares?
Recepção: Claro, sra. Há muito para se ver na cidade. Você já visitou algum lugar?
Turista: Ainda não. Cheguei ontem à noite.
Recepção: O.k.! Deixe-me mostrar alguns lugares aqui no mapa. Você gosta de parques e museus?
Check out the translation of this dialogue on p. 177

PLANNING A SIGHTSEEING TOUR
PLANEJANDO UM PASSEIO TURÍSTICO PELA CIDADE

We'd like to do some sightseeing, can you recommend any places?
Gostaríamos de fazer um passeio turístico, você recomenda algum lugar?

We'd like to visit the Sugar Loaf Mountain. How far is it and how can we get there?
Gostaríamos de visitar o morro do Pão de Açúcar. Qual é a distância daqui e como podemos chegar lá?
What are the main points of interest?
O que há de interessante para ver?
Is there a tourist office near here?
Há um posto de informações turísticas aqui perto?
Can you give us a tourist map?
Você pode nos dar um mapa turístico?
Can you recommend a sightseeing tour?
Você pode recomendar algum passeio turístico pela cidade?
How much does this tour cost?
Quanto custa este passeio?
How long does it take?
Quanto tempo de duração?
Where does it leave from?
De onde parte esta excursão?
What time does it start?
Que horas começa a excursão?
What time do we get back?
Que horas estaremos de volta?
Will we have free time to go shopping?
Vamos ter tempo livre para fazer compras?
Does the guide speak English/Spanish/French?
O guia fala inglês/espanhol/francês?
Can you show me on the map?
Você pode me mostrar no mapa?

CD ON A SIGHTSEEING TOUR
FAZENDO UM PASSEIO TURÍSTICO PELA CIDADE

How far is it to the cathedral/castle/palace/statue?
Qual a distância até a catedral/castelo/palácio/estátua?
Can we stop here to take pictures?
Podemos parar aqui para tirar fotos?
Could you please take a picture of us?
Você poderia, por favor, tirar uma foto nossa?

Are there any gift shops around here?
Há lojas de suvenir aqui perto?
Is there a toilet near here?
Há banheiro aqui perto?
How long are we staying here for?
Quanto tempo vamos ficar aqui?
Is the cathedral open to the public?
A catedral está aberta ao público?
Is the castle/palace/museum open to the public?
O castelo/palácio/museu está aberto ao público?
When was it built?
Quando foi construído(a)?
Do you have any guide books in English/Spanish/French?
Vocês têm guias impressos em inglês/espanhol/francês?
Is there access to disabled people?
Há acesso para deficientes?
How much is the entrance fee?
Quanto custa a entrada?
Are there any discounts for children/students/groups/senior citizens?
Tem desconto para crianças/estudantes/grupos/terceira idade?

USUAL SIGNS IN BRAZIL
PLACAS COMUNS NO BRASIL

Tourist information

Emergency Exit

24 Hour ATM

Danger - Do not enter

Danger - Electric Fence

Danger - Flammable Material

Danger - High Voltage

Danger - Keep off

Caution - Wet Floor

Warning - Don't feed the animals

Keep off the grass

Designated Smoking Area

Authorised personnel only

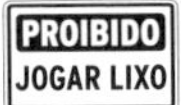

No littering

THEME GLOSSARY: LEISURE AND ENTERTAINMENT

GLOSSÁRIO TEMÁTICO: LAZER E DIVERSÃO

American football: futebol americano
Amusement park: parque de diversões
Art gallery: galeria de arte
Athletics: atletismo
ATV – All-Terrain Vehicle: quadriciclo
Banana boat: banana boat
Baseball: beisebol
Basketball: basquetebol
Basketball/tennis/etc court: quadra de basquete/tênis/etc.
Beach: praia
Beach umbrella: guarda-sol
Bike lane: ciclovia
Boat ride: passeio de barco
Boo/booed/booed: vaiar
Botanic garden: jardim botânico
Boxing: boxe
Bowling: boliche
Bridge: ponte
Bungee jumping: bungee jumping
Camp: acampamento
Campground (US); campsite (UK): camping
Canoeing: canoagem
Casino: cassino
Castle: castelo
Cathedral: catedral
Cave: caverna
Cemetery: cemitério
Cheer/cheered/cheered: aplaudir; ovacionar
Chess: xadrez
Church: igreja
Circus: circo
Cliff: penhasco
Climb mountains: escalar montanhas
Court: quadra de esportes
Cruise: cruzeiro
Cue: taco de sinuca
Cycling: ciclismo
Deck (ship): convés (navio)
Dive/dived/dived: mergulhar
Diving: mergulho
Double-decker: ônibus de dois andares
Fishing: pesca
Fishing rod: vara de pescar
Fishing trip: pescaria
Flashlight: lanterna
Forest: floresta
Gamble/gambled/gambled: jogar em cassinos
Get in the line: entrar na fila
Golf club: taco de golfe
Golf: golfe
Go camping: acampar
Go hiking: fazer trilha
Handball: handebol
Hang-gliding: asa-delta
Hiking: trilha
Hill: colina; morro
Hockey: hóquei
Horse: cavalo
Horseback riding: hipismo
Ice skate: patim de gelo

Ice skating: patinação no gelo
Jet ski: jet ski
Jogging: corrida
Karate: caratê
Lake: lago
Library: biblioteca
Line: fila
Mall: shopping (center)
Monastery: mosteiro
Monument: monumento
Mosque: mesquita
Motor racing: automobilismo
Mountain climbing: alpinismo
Movie: filme
Movie theater: cinema
Museum: museu
Nightclub: boate
Palace: palácio
Path: trilha
Picnic area: área para piquenique
Play/played/played: jogar
Play (theater): peça teatral
Racetrack: hipódromo
Radical sports: esportes radicais
Rafting: rafting
Rappelling (US); abseiling (UK): rapel
RV - Recreational Vehicle: trailer
Roller coaster: montanha-russa
Roller skate: patim
Running: corrida
Sand: areia
Sail/sailed/sailed: velejar
Shopping center: shopping (center)
Show: show; espetáculo
Skate boarding: skatismo
Skating: patinação
Skiing: esqui
Soccer: futebol
Spend vacation: passar férias
Squash: squash
Stadium: estádio
Stage: palco
Statue: estátua
Stick: taco de hóquei
Sugar Loaf Mountain: Morro do Pão de Açúcar
Sunbathe/sunbathed/sunbathed: tomar banho de sol
Sunglasses: óculos de sol
Sunscreen: protetor solar
Surf/surfed/surfed: surfar
Surfboard: prancha de surfe
Surfing: surfe
Swimming: natação
Synagogue: sinagoga
Tan: bronzeado
Tennis: tênis
Tennis table: tênis de mesa; pingue-pongue
Tent: barraca
Theater: teatro
Tower: torre
Track: trilha
Trail: trilha
Village: aldeia
Volleyball: voleibol
Waterfall: cachoeira
Wave: onda
Weightlifting: levantamento de peso
Windsurfing: windsurf
Zoo: zoológico

COOL TIP 15: CARNAVAL
BRAZIL'S NATIONAL FESTIVAL

There's nothing in the world like the Brazilian ***Carnaval***, an annual festival that takes place forty days before ***Páscoa*** (Easter) and four days before ***Quarta-feira de cinzas*** (Ash Wednesday) during the Brazilian summer, in February or sometimes March. In the southeastern cities of ***Rio de Janeiro*** and ***São Paulo***, ***escolas de samba*** (samba schools) organize parades that are staged in the ***sambódromo*** ("sambadrome"), a specific outdoor area for the samba schools to parade, pretty much like a wide avenue with a grandstand on both sides for spectators to watch. Samba schools' members parade around in their ***fantasias*** (costumes) and some of them dance on top of ***carros alegóricos*** (floats), as they move along. In ***Bahia*** (check map p. 217), apart from ***samba***, they have some other musical rhythms, such as ***samba-reggae*** and ***axé*** (a musical style of percussion with roots from Africa). Musicians play on floats equipped with giant loud-speakers and hundreds of people follow them, singing and dancing. In ***Pernambuco*** (check map p. 217) the main rhythm is the ***frevo***, a popular acrobatic dance with African influence, often using a small open colorful parasol and with fast movements.

Check out below for the names of some ***samba*** school members and other ***Carnaval*** characters:

Rei Momo: "the cerimonial king of carnival". Each Carnaval has its own ***Rei Momo*** (King Momo) and his appearance symbolizes the beginning of the festivities. This character wears a crown and is traditionally fat and tall.

Porta-bandeira or ***Porta-estandarte:*** the flag-bearer of the samba school, a female character who carries the school flag during the parade and wears a very elaborate costume.

Mestre-sala: this male performer accompanies the ***Porta-bandeira*** (flag-bearer). He also wears a very elaborate costume.

Carnavalesco: "the ***carnaval*** reveler", the artistic director of a samba school. He is usually the person who designs the costumes and floats.

LEISURE AND ENTERTAINMENT: VOCABULARY & EXPRESSIONS IN USE
LAZER E DIVERSÃO: VOCABULÁRIO & EXPRESSÕES EM USO

Amusement park: parque de diversão

“Puxa, eu nunca estive em um parque de diversões tão grande!”, disse João aos amigos.

“Gee, I’ve never been to such a huge amusement park!”, said João to his friends.

Cruise: cruzeiro

Oliver e Jane fizeram um cruzeiro para as Bahamas em sua lua de mel.

Oliver and Jane went on a cruise to the Bahamas on their honeymoon.

Gamble/gambled/gambled: jogar em cassinos

Turistas do mundo inteiro vão a Las Vegas para jogar nos cassinos.

Tourists from all over the world go to Vegas to gamble.

Get a tan: bronzear-se; pegar um bronze

“Está um dia ensolarado tão bonito. Acho que vou me deitar à beira da piscina e pegar um bronzeado”, disse Rita aos amigos.

“It’s such a beautiful sunny day! I think I’ll lie by the pool and get a tan”, said Rita to her friends.

Go camping: acampar

Refer to Brazilian Portuguese Grammar Tips: Verbs p. 160

Clint e Sue gostavam de acampar quando eram jovens.

Clint and Sue used to enjoy going camping when they were young.

Go fishing: pescar

Refer to Brazilian Portuguese Grammar Tips: Verbs p. 160

Carlos adora pescar. Ele diz que é como uma terapia para ele.
Carlos loves to go fishing. He says it's like therapy for him.

Rest/rested/rested; to relax/relaxed/relaxed; to unwind/unwinded/unwinded: descansar; relaxar

Você tem trabalhado demais ultimamente. Por que não tira alguns dias de folga para relaxar?
You've been working way too much lately. Why don't you take a few days off to unwind?

Ride (in an amusement park): brinquedo (em parque de diversão)

Você sabe quantos brinquedos diferentes tem neste parque de diversão?
Do you know how many different rides they have at this amusement park?

Spend vacation: passar férias

Onde você tem vontade de passar as próximas férias?
Where do you feel like spending your next vacation?

Sunbathe/sunbahed/sunbathed: tomar banho de sol

Estou com vontade de ir à praia e tomar banho de sol.
I feel like going to the beach to sunbathe.

Sunscreen: protetor solar

Não se esqueça de usar protetor solar! Está um sol forte lá fora.
Don't forget to wear sunscreen! It's pretty sunny out there.

Tan: bronzeado

Você está com um bronzeado bonito. Esteve tomando banho de sol?
You have a nice tan. Have you been sunbathing?

COOL TIP 16:
FESTAS JUNINAS

Festas Juninas (June parties) are very popular parties all over Brazil. They celebrate ***Santo Antônio*** (St. Anthony) on June 13, ***São João*** (St. John) on June 24, and ***São Pedro*** (St. Peter) on June 29. These traditional Brazilian parties are usually held outdoors, in an area decorated with colored flags. Some typical dishes and drinks at these parties are ***canjica*** (sweet dish made of boiled corn, sugar and coconut milk), ***pé de moleque*** (peanut brittle), ***paçoca*** (candy made of ground peanuts and sugar), ***maria-mole*** (spongy sweet made of egg whites, sugar and coconut), ***quentão*** (hot punch made from sugarcane liquor, ginger, cinnamon and sugar) and ***vinho quente*** (mulled wine). These parties also feature a traditional dance called ***quadrilha*** (square dance).

PROVERBS AND SAYINGS
DITADOS E PROVÉRBIOS

The use of proverbs and sayings to describe or refer to situations is common in every language. Being familiar with some of the most usual proverbs and sayings in Brazilian Portuguese will contribute to a more effective communication and understanding. Check out in the list below some usual proverbs and sayings used by Brazilians in everyday conversation. Make sure you also listen to them on the CD!

CD Listen!!!

Achado não é roubado. (Finders keepers, losers weepers.)
Antes só do que mal acompanhado. (Better to be alone than in bad company.)
Antes tarde do que nunca. (Better late than never.)
As aparências enganam. (Looks can be deceiving.)
A pressa é inimiga da perfeição. (Haste makes waste.)

Cão que late não morde. (Barking dogs seldom bite.)
Deus ajuda quem cedo madruga. (The early bird catches the worm.)
Dinheiro não cai do céu. (Money doesn't grow on trees.)
Duas cabeças pensam melhor do que uma. (Two heads are better than one.)
Em boca fechada não entra mosquito. (A closed mouth catches no flies.)
É melhor prevenir do que remediar. (An ounce of prevention is worth a pound of cure.)
Faça o que eu digo e não o que eu faço. (Do as I say, not as I do.)
Falando do diabo, aparece o rabo. (Speak of the devil and he appears.)
Gato escaldado tem medo de água fria. (A burnt child dreads the fire.)
Há males que vêm para o bem. (Every dark cloud has a silver lining.)
Mais vale um pássaro na mão do que dois voando. (A bird in the hand is worth two in the bush.)
Matar dois coelhos com uma cajadada só. (Kill two birds with one stone.)
Mente vazia, oficina do diabo. (An idle mind is the devil's workshop.)
Não adianta chorar sobre o leite derramado. (It's no use crying over spilt milk.)
Não cuspa no prato em que come. (Don't bite the hand that feeds you.)
Não deixe para amanhã o que você pode fazer hoje. (Don't put off until tomorrow what you can do today.)
Não dê o pulo maior do que a perna. (Don't bite off more than you can chew.)
Não faça tempestade em copo d'água. (Don't make a mountain out of a molehill./Don't sweat the small stuff.)
Não julgue um livro pela capa. (Don't judge a book by its cover.)
Não ponha o carro na frente dos bois. (Don't put the cart before the horse.)
Nem tudo o que brilha/reluz é ouro. (All that glitters is not gold./ Not all that glitters is gold.)

Para bom entendedor, meia palavra basta. (A word to the wise is enough.)
O amor é cego. (Love is blind.)
O crime não compensa. (Crime doesn't pay.)
Onde há fumaça, há fogo. (There's no smoke without fire.)
O que os olhos não veem, o coração não sente. (Out of sight, out of mind.)
Quando o gato sai, o rato faz a festa. (When the cat's away, the mice will play.)
Quando um não quer, dois não brigam. (It takes two to make a fight.)
Quem ama o feio bonito lhe parece. (Beauty lies in lovers' eyes.)
Quem não arrisca não petisca. (Nothing ventured, nothing gained./ No pain, no gain.)
Quem não tem cão caça com gato. (Make do with what you have.)
Quem ri por último ri melhor. (He who laughs last laughs best.)
Querer é poder. (Where there's a will there's a way.)
Roupa suja se lava em casa. (Don't wash the family's dirty linen in public.)
Seguro morreu de velho. (It's better to be safe than sorry.)
Tal pai, tal filho. (Like father, like son.)
Tudo o que é bom dura pouco. (All good things must come to an end.)
Uma mão lava a outra. (You scratch my back and I scratch yours.)
Um erro não conserta o outro. (Two wrongs don't make a right.)

GOING SHOPPING

FAZENDO COMPRAS

Diálogo: Na loja de calçados

Balconista: Posso ajudar?
Turista: Estou procurando tênis. Você tem alguma coisa em liquidação?
Balconista: Alguns dos nossos tênis estão com 30% de desconto. Deixe-me mostrar para o sr.[1] Por aqui, por favor.
Turista: Você tem estes aqui em preto?
Balconista: Acho que sim. Que tamanho você usa?
Turista: Geralmente quarenta e dois, mas depende do tênis.
Balconista: O.k.! Aqui tem um número quarenta e dois. Por que você não os experimenta?
Turista: Claro. Obrigado!

1 sr. = senhor (sir)

Check out the translation of this dialogue on p. 177

COOL TIP 17:
SHOE SIZE CONVERSION TO BRAZILIAN SIZES

US & Canada		UK		Australia		Europe	Brazil
Man	Woman	Man	Woman	Man	Woman	Unisex	Unisex
3.5	5	3	2.5	3	3.5	35	33
4	5.5	3.5	3	3.5	4	35.5	33.5
4.5	6	4	3.5	4	4.5	36	34
5	6.5	4.5	4	4.5	5	37	35
5.5	7	5	4.5	5	5.5	37.5	35.5
6	7.5	5.5	5	5.5	6	38	36
6.5	8	6	5.5	6	6.5	38.5	36.5
7	8.5	6.5	6	6.5	7	39	37
7.5	9	7	6.5	7	7.5	40	38
8	9.5	7.5	7	7.5	8	41	39
8.5	10	8	8	8	8.5	42	40
9	11	8.5	9	9	9	43	41
10.5	12	10	10	10	10.5	44	42
11.5	13	11	11	11	11.5	45	43
12.5	14	12	12	12	12.5	46.5	44.5

Source: http://www.rio-carnival.net/sizes.php

SHOPPING FOR CLOTHES AND SHOES: CLERK'S PHRASES
COMPRANDO ROUPAS E CALÇADOS: FRASES DO BALCONISTA

Can I help you?
    Posso ajudá-lo?
What can I do for you?
    Em que posso ajudar?
Have you been helped, sir/madam?
    O(A) senhor(a) já foi atendido(a)?
What size do you wear? (clothes)
    Que tamanho você usa?
What size do you wear? (shoes)
    Que tamanho você usa? or Que número você calça?

Would you like to try it on?
Você gostaria de experimentar?
We are out of...
Estamos sem/Não temos mais...
We sold out of...
Vendemos todos(as)... /Os(as)... acabaram.
We don't carry...
Não trabalhamos com...
Everything is 20% off.
Está tudo com 20% de desconto.
We have a sale on women's shoes.
Os sapatos femininos estão em promoção.
Just a moment, I'll get it for you.
Só um momento, vou pegar para você.
The fitting room is over there.
O provador fica ali.
Did the shirt fit you?
A camisa serviu?
Do you need anything else?
Precisa de mais alguma coisa?
Would you like it gift-wrapped?
Quer que embrulhe para presente?
(Will that be) cash or charge?
Dinheiro ou cartão?

CD SHOPPING FOR CLOTHES AND SHOES: CUSTOMER'S QUESTIONS

COMPRANDO ROUPAS E CALÇADOS: PERGUNTAS DO CLIENTE

I'm looking for sport clothes/a suit/ties/etc.
Estou procurando roupas esportivas/um terno/gravatas/etc.
Can you show me your shirts/pants/etc?
Você pode me mostrar as camisas/calças/etc?
I'm looking for shoes/sneakers/sandals/slippers.
Estou procurando sapatos/tênis/sandálias/chinelos.
Can you show me the dress in the window?
Você pode me mostrar o vestido da vitrine?

Do you have any pants/shirts on sale?
    Você tem calças/camisas em liquidação?
What else is on sale?
    O que mais está em liquidação?
What's the usual price of these sneakers/tennis shoes?
    Qual é o preço normal destes tênis?
Can I try it on?
    Posso experimentar?
Can I try on a larger/smaller size?
    Posso experimentar um tamanho maior/menor?
Do you have a smaller/larger size?
    Você tem um tamanho menor/maior?
Do you have it in blue/green/etc?
    Você tem essa peça em azul/verde/etc?
Do you have that dress in red?
    Você tem aquele vestido em vermelho?
Do you have this sweater in my size?
    Você tem este suéter no meu tamanho?
Where's the fitting room?
    Onde é o provador?
Do you have a mirror?
    Tem espelho?
How much is this shirt/etc?
    Quanto é esta camisa/etc?
How much is this dress/etc?
    Quanto é este vestido/etc?
Can I have this gift-wrapped?
    Pode embrulhar para presente?
Do you have short-sleeved shirts?
    Você tem camisas de manga curta?
Do you have long-sleeved shirts?
    Você tem camisas de manga comprida?
What time do you close?
    Que horas vocês fecham?
Are you open on Sunday?
    Vocês abrem no domingo?
Is there any discount if I pay in cash?
    Vocês dão descontos para pagamento à vista?

Can you give me a receipt for that, please?
Você pode me dar um recibo, por favor?

SHOPPING FOR CLOTHES AND SHOES: CUSTOMER'S COMMENTS
COMPRANDO ROUPAS E CALÇADOS: COMENTÁRIOS DO CLIENTE

I'm just looking. Thank you.
Só estou olhando. Obrigado(a).
It's too small/large.
Está pequeno(a)/grande demais.
It doesn't fit.
Não serve.
These shoes are tight.
Estes sapatos estão apertados.
This shirt is loose/tight.
Esta camisa está folgada/apertada.
I'm usually a small/medium/large/extra-large.
Eu normalmente uso tamanho pequeno/médio/grande/GG.
I don't know what my size is.
Não sei o meu tamanho.

COOL TIP 18: ABBREVIATIONS ON SIZE LABELS

P ***pequeno*** (small)
M ***médio*** (medium)
G ***grande*** (large)
GG (extra large)

SHOPPING AT THE SUPERMARKET
FAZENDO COMPRAS NO SUPERMERCADO

Where are the shopping carts?
Onde estão os carrinhos do supermercado?

Where can I find shopping baskets?
  Onde eu encontro as cestas para fazer compras?
Do you know where the fruit section is?
  Você sabe onde fica a seção de frutas?
Do you sell postcards/souvenirs here?
  Vocês vendem cartões-postais/suvenires aqui?
Where can I find batteries?
  Onde encontro pilhas?
That's in aisle three.
  Fica no corredor três.
Where is the bakery section?
  Onde fica a seção de padaria?
Do you sell medicine here?
  Vocês vendem remédios aqui?
Where can I find camera film?
  Onde encontro filme para máquina fotográfica?
Do you develop film here?
  Vocês revelam filme aqui?

GOING SHOPPING: VOCABULARY & EXPRESSIONS IN USE
FAZENDO COMPRAS: VOCABULÁRIO & EXPRESSÕES EM USO

20% off: **20% de desconto; 20% off**

Tudo na loja está com um desconto de pelo menos 20%.

Everything in the store is at least 20% off.

Aisle: **corredor**

Você encontra fio dental e pasta de dente no corredor cinco.

You can find dental floss and toothpaste in aisle five.

ATM (Automated Teller Machine) (US); cash machine (UK); Cashpoint® (UK): **caixa eletrônico de banco**

Preciso pegar algum dinheiro. Você sabe se tem um caixa eletrônico por perto?

I need to get some cash. Do you know if there's an ATM nearby?

Bar code: código de barra

A atendente do caixa passou o scanner no código de barra para checar o preço.

The checkout attendant ran the scanner over the bar code to check the price.

Business hours: horário de funcionamento

Qual é o horário de funcionamento da loja?

What are the store's business hours?

Credit card: cartão de crédito

Vocês aceitam cartão de crédito?

Do you take credit cards?

Discount: desconto

"Podemos dar um desconto nos calçados se você comprar três pares", a atendente disse ao Pedro.

"We can give you a discount on the shoes if you buy three pairs", the clerk told Pedro.

Fitting room: provador

"Claro. Tem um provador ali", disse o atendente.

"Sure. There's a fitting room over there", said the clerk.

Refund: reembolso

"A sra. prefere trocar por um outro ou quer o reembolso?", o balconista perguntou à sra. Oliveira.

"Would you prefer to exchange it for another one or to have a refund?", the clerk asked Mrs. Oliveira.

Sale; clearance sale: liquidação

Eles estão com uma ótima liquidação hoje. Tudo está com pelo menos 30% de desconto.

They have a great sale storewide today. Everything is at least 30% off.

Shelf: prateleira

"Acho que tem protetor solar naquelas prateleiras ali", disse Renato.

"I think there's sunscreen on those shelves over there", said Renato.

Try on: experimentar; provar

"Posso experimentar esta camiseta?", Nick perguntou ao atendente da loja.

"Can I try on this T-shirt?", Nick asked the store clerk.

CD COMPLAINING ABOUT SOMETHING YOU BOUGHT

RECLAMANDO DE ALGO QUE VOCÊ COMPROU

Can I talk to the manager, please?
Posso falar com o gerente, por favor?

I think there's something wrong with...
Acho que há algo errado com...

I'd like to make a complaint about...
Queria fazer uma reclamação sobre...

I'd like to complain about...
Queria reclamar a respeito de...

Can you exchange this, please?
Pode trocar isso aqui, por favor?

Here's the receipt.
Aqui está o recibo.

I'd like a refund...
Quero o reembolso...

The notebook computer/camera I bought here yesterday is not working.
O laptop/máquina fotográfica que comprei aqui ontem não está funcionando.

The sneakers/tennis shoes I bought are not my size.
O tênis que comprei não é do meu tamanho.

I'd like to take back this DVD player I bought here a few days ago.
Queria devolver este aparelho de DVD que comprei aqui há alguns dias.

The clerk that waited on us was very rude.

O vendedor que nos atendeu foi muito grosseiro.

He was really impolite.

Ele foi muito mal-educado.

THEME GLOSSARY: CLOTHES AND SHOES

GLOSSÁRIO TEMÁTICO: ROUPAS E CALÇADOS

Baseball cap: boné
Bathing suit: maiô
Belt: cinto
Blouse: blusa
Boots: botas
Boxer shorts; boxers: cueca samba-canção
Bra: sutiã
Cleats: chuteira
Coat: casaco
Department store: loja de departamentos
Dress: vestido
Fitting room: provador
Hat: chapéu
Jeans: jeans
Jogging suit: agasalho
Leather jacket: jaqueta de couro
Mall: shopping (center)
Miniskirt: minissaia
Pajamas (US); pyjamas (UK): pijama
Pants (US); trousers (UK): calças
Panties (US); knickers (UK): calcinha
Polo shirt: camisa polo
Robe: roupão
Sale: liquidação
Sandals: sandálias
Scarf: cachecol
Shirt: camisa
Shoes: sapatos
Shopping center: shopping (center)
Skirt: saia
Slippers: chinelos
Sneakers: tênis
Socks: meias
Suit: terno
Sweater: suéter
Sweatshirt: moletom
Tank top: camiseta regata
Tennis shoes: tênis
Tie: gravata
Trunks: calção
T-shirt: camiseta
Underpants: cueca
Vest: colete
Waistcoat: colete

CURRENCY EXCHANGE: EXCHANGING MONEY

CÂMBIO: TROCANDO DINHEIRO

Do you exchange foreign currency here?
Vocês trocam dinheiro estrangeiro aqui?

Where can I exchange money nearby?
Onde posso trocar dinheiro aqui perto?

Is there an exchange office nearby?
Tem uma casa de câmbio por perto?

What is your exchange rate for the American dollar?
Qual é a taxa de câmbio para o dólar americano?

What is your exchange rate for the British pound?
Qual é a taxa de câmbio para a libra esterlina?

Can I cash my traveler checks here?
Posso trocar meus cheques de viagem aqui?

What's the exchange rate from the dollar to the real?
Qual é a taxa de câmbio do dólar para o real?
Check out cool tip 19: Money: Bills and coins used in Brazil p. 130

How much comission do you charge?
Quanto vocês cobram de comissão?

I'd like to change five hundred dollars into reais.
Eu queria trocar quinhentos dólares por reais.
Check out ordinal numbers p. 46

I'd like to change three hundred pounds into reais.
Eu queria trocar trezentas libras por reais.

COOL TIP 19: MONEY: BILLS AND COINS USED IN BRAZIL

DINHEIRO: CÉDULAS E MOEDAS USADAS NO BRASIL

The Brazilian currency is the ***real*** (plural form: ***reais***) and its symbol is ***R$***.

R$ 50,00 = cinquenta reais. (fifty reais)

R$ 700,00 = setecentos reais. (seven hundred reais)

R$ 1.200,00 = mil e duzentos reais. (one thousand two hundred reais)

Check out numbers on p. 46

Centavos (cents) are indicated by commas. Check out the examples below:

R$ 23,50 = vinte e três reais e cinquenta centavos.

R$ 37,40 = trinta e sete reais e quarenta centavos or informally ***trinta e sete e quarenta***. (Very often people will just say the numbers!)

R$ 947,60 = novecentos e quarenta e sete reais e sessenta centavos or ***novecentos e quarenta e sete e sessenta.***

BRAZILIAN BILLS

CÉDULAS BRASILEIRAS

The following banknotes are in current circulation in Brazil: *R$ 1 (um real); R$ 2 (dois reais); R$ 5 (cinco reais); R$ 10 (dez reais); R$ 20 (vinte reais); R$ 50 (cinquenta reais)* e *R$ 100 (cem reais).*

The colloquial term *"paus"*, means *reais*. (it may vary depending on the region of Brasil, as for example in the south of the country they often use the term *"pilas"*.) Check out the examples below:

A: Quanto custa um aparelho de DVD? (How much does a DVD player cost?)

B: Acho que custa uns duzentos paus/reais. (I think it costs about two hundred reais.)

Check out the Brazilian bills below:

Nota de um real (one "real" bill)

Nota de dois reais (two "reais" bill)

Nota de cinco reais (five "reais" bill)

Nota de dez reais (ten "reais" bill)

Nota de vinte reais (twenty "reais" bill)

Nota de cinquenta reais (fifty "reais" bill)

Nota de cem reais (one hundred "reais" bill)

BRAZILIAN COINS

MOEDAS BRASILEIRAS

The following coins are in current circulation in Brazil: *R$ 0,01 (um centavo)*; *R$ 0,05 (cinco centavos)*; *R$ 0,10 (dez centavos)*; *R$ 0,25 (vinte e cinco centavos)*; *R$ 0,50 (cinquenta centavos)* e *R$ 1 (um real)*.

Check out the Brazilian coins below:

Moeda de um centavo (one "centavo" coin)

Moeda de cinco centavos (five "centavos" coin)

Moeda de dez centavos (ten "centavos" coin)

Moeda de vinte e cinco centavos (twenty-five "centavos" coin)

Moeda de cinquenta centavos (fifty "centavos" coin)

Moeda de um real (one "real" coin)

STORES AND SERVICES: USUAL PHRASES

LOJAS E SERVIÇOS: FRASES USUAIS

How can I help you?
    Como posso ajudá-lo?
What can I do for you?
    Em que posso ajudar?
Can I help you?
    Posso ajudar?

Do you have batteries/dental floss?

Vocês têm pilhas/fio dental?

Check out Theme glossary: Stores and services p. 137

I'm looking for...

Estou procurando...

I'm just looking, thanks.

Só estou olhando, obrigado.

I'm just browsing, thanks.

Só estou olhando, obrigado.

Do you know if there is an ATM (US)/cash machine; Cashpoint® (UK) near here?

Você sabe se tem um caixa eletrônico de banco aqui perto?

Is there a newsstand/bookstore (US)/bookshop (UK) near here?

Tem uma banca de jornal/livraria aqui perto?

Check out Theme glossary: Stores and services p. 137

What time does the bank/supermarket/store open?

A que horas o banco/o supermercado/a loja abre?

What time does the post office/store close?

A que horas o correio/a loja fecha?

Do you close for lunch?

Vocês fecham para o almoço?

Are you open in the evening/on Saturdays?

Vocês abrem à noite/aos sábados?

COOL TIP 20: MEASURING UNITS IN BRAZIL

UNIDADES DE MEDIDA NO BRASIL

The metric system is used in Brazil. Check out the table below for some Brazilian measuring units and examples:

Distância e velocidade (Distance and speed): ***Quilômetro*** (kilometer), 1 kilometer = 0.62 miles

Symbol: ***Quilômetro = km***

Ex.: ***O aeroporto fica uns dez quilômetros daqui.***(The airport is about ten kilometers from here.)

Obs: 10 km X 0.62 miles = 6.2 miles

O limite de velocidade nesta estrada é de 80 km por hora. (The speed limit on this road is 80 kilometers per hour.)

Obs: 80 km X 0.62 miles = 49.6 miles

Comprimento e altura (Length and height): ***Centímetro e metro*** (centimeter and meter), 1 centimeter = 0.3937 inches, 1 meter = 39.37 inches

Symbols: ***Centímetro = cm /Metro = m***

Ex.: ***Este quarto tem cinco metros quadrados (5 m^2).*** (This room is five square meters.)

O Paulo tem mais ou menos um metro e oitenta de altura (1,80 m). (Paulo is about six foot tall.)

Obs: One foot = 30.48 centimeters

Volume (Volume): ***Litro*** (Liter) 1 liter = 1.06 quarts

Symbol: ***Litro = L***

Ex.: ***Um litro de gasolina no Brasil custa em média R$ 2,50.***

(A liter of gasoline in Brazil costs on average R$ 2,50.)

Check out cool tip 19: Money: Bills and coins used in Brazil p. 130

Peso (Weight): ***Quilo*** (kilogram), 1 kilogram = 2,2 pounds

Symbol: ***Quilo = kg***

Ex.: ***Aquela caixa é pesada. Pesa uns quarenta quilos.*** (That box is heavy. It weighs about 90 pounds.)

A: ***Quanto você pesa?*** (How much do you weigh?)

B: ***Aproximadamente oitenta e cinco quilos.*** (About 190 pounds.)

Obs: For a comparative temperature table go to p. 31

AT THE POST OFFICE: USEFUL PHRASES
NO CORREIO: FRASES ÚTEIS

Is there a post office near here?
Tem uma agência do correio aqui perto?
Where is the closest mailbox?
Onde fica a caixa de correio mais próxima?
Where can I buy stamps and envelopes?
Onde posso comprar selos e envelopes?
How many stamps do I need to send this letter?
De quantos selos eu preciso para mandar esta carta?
What time does the post office open/close?
Que horas o correio abre/fecha?
I need to send this package to the United States.
Eu preciso enviar este pacote para os Estados Unidos.
I need to send this package to England.
Eu preciso enviar este pacote para a Inglaterra.
I need to send this package to Canada.
Eu preciso enviar este pacote para o Canadá.
Do you sell boxes here?
Vocês vendem caixas aqui?
How much does it cost for fast delivery?
Quanto custa a entrega rápida?
I'd like to insure this package.
Eu gostaria de enviar esse pacote com seguro.
There are some fragile items in the package.
Há alguns itens frágeis no pacote.
How much is it?
Quanto é?
What is the cheapest way to send it?
Qual é a forma mais barata de envio?
How long will it take to get to Brazil?
Quanto tempo vai levar para chegar ao Brasil?
What's the fastest way to send it?
Qual é a forma mais rápida de envio?
I don't know the zip code (US)/postcode (England).
Não sei o CEP[1].
Do you have postcards?
Vocês têm cartões-postais?

THEME GLOSSARY: STORES AND SERVICES

GLOSSÁRIO TEMÁTICO: LOJAS E SERVIÇOS

Antique shop: antiquário
ATM - Automated Teller Machine: caixa eletrônico de banco
Bakery: padaria
Barbershop (US); barber's (UK): barbearia
Bookstore (US); bookshop (UK): livraria
Butcher's: açougue
Cash machine (UK): caixa eletrônico de banco
Cashpoint® (UK): caixa eletrônico de banco
Cybercafé; Internet café: cybercafé; café com pontos de acesso à Internet
Deli (delicatessen): empório
Dentist: dentista
Department store: loja de departamentos
Drugstore (US); chemist's (UK): drogaria; farmácia
Electronics store: loja de eletrônicos
Fish market (US); fishmonger's (UK): peixaria
Florist: floricultura
Garage: oficina
Gift shop: lojinha de presentes
Hairdresser's: cabeleireiro
Health food store/shop: loja de alimentos dietéticos/naturais
Hospital: hospital
Jeweller: joalheria
Laundromat (US); launderette (UK): lavanderia
Library: biblioteca
Locksmith: chaveiro
Mall: shopping (center)
Market: mercado
Newsstand: banca de jornal
Optician: ótica
Police station: delegacia de polícia
Post office: correios
Shopping center: shopping (center)
Sports store/shop: loja de artigos esportivos
Stationery store/stationer's: papelaria
Supermarket: supermercado
Tobacco shop: tabacaria
Toy store/shop: loja de brinquedos
Travel agency: agência de viagens

1 CEP = An acronym that stands for *Código de Endereçamento Postal*

SHOPPING AT THE DRUGSTORE
FAZENDO COMPRAS NA FARMÁCIA

Excuse me, where can I find dental floss?
Com licença, onde encontro fio dental?
That's in aisle five.
Fica no corredor cinco.
Do you know where I can find sunscreen?
Você sabe onde posso encontrar protetor solar?
I need a nail clipper, do you know where I can find them?
Preciso de cortador de unhas, você sabe onde posso encontrar?
They are in aisle two.
Eles estão no corredor dois.
I need shaving cream/shaving foam. Do you know where it is?
Preciso de creme/espuma de barbear. Você sabe onde está?
Do you have any other kind of hair conditioner and shampoo?
Vocês têm algum outro tipo de condicionador de cabelos e xampu?

THEME GLOSSARY: DRUGSTORE ITEMS

GLOSSÁRIO TEMÁTICO: ARTIGOS DE FARMÁCIA

Aftershave: loção pós-barba
Anesthetic: anestesia
Antibiotics: antibiótico
Antiseptic: antisséptico
Aspirin: aspirina
Band-aid: curativo adesivo
Bandage: atadura
Comb: pente
Condom: preservativo, camisinha (informal)
Contraceptive: anticoncepcional
Cotton: algodão
Dental floss: fio dental
Ear drops: remédio para dor de ouvido
Electric razor; shaver: barbeador elétrico
Eye drops: colírio
First-aid kit: estojo de primeiros socorros
Frame: armação de óculos
Gauze: gaze
Gym: academia de ginástica
Hairbrush: escova de cabelos
Hair conditioner: condicionador de cabelos
Hairpin: grampo de cabelo
Lipstick: batom
Mascara: rímel
Maxi pad: absorvente higiênico; Modess®
Mercury: mercúrio
Nail clipper: cortador de unha
Nail file: lixa de unha
Nail polish: esmalte
Nail remover: acetona
Ointment: pomada
Painkiller: analgésico
Peroxide: água oxigenada
Q-Tip (US)/ Cotton bud (UK): cotonete
Razor blade: lâmina de barbear
Safety razor: aparelho de barbear
Sanitary napkin; sanitary pad; sanitary towel: absorvente higiênico; Modess®
Scissors: tesoura
Shampoo: xampu
Shaving brush: pincel de barba
Shaving cream: creme de barbear
Shaving foam: espuma para barbear
Smoking area: área para fumantes
Soap: sabonete
Stick/roll on deodorant: desodorante em bastão
Sunscreen: protetor solar
Suntan lotion: bronzeador
Suppository: supositório
Syringe: seringa
Syrup: xarope
Talc: talco
Talcum powder: talco
Tampon: tampão (absorvente interno); O.B.®
Tissue (Kleenex®): lenço de papel
Toilet paper: papel higiênico
Toothbrush: escova de dente
Toothpaste: pasta de dente
Tranquilizer: calmante
Tylenol: Tylenol® (analgésico)

HEALTH & EMERGENCIES

SAÚDE & EMERGÊNCIAS

Diálogo: Uma consulta médica

Médico: Vamos entrando, por favor.
Paciente: Obrigado!
Médico: Qual é o problema?
Paciente: Bom, eu estou com esta alergia no braço há dois dias.
Médico: Deixe-me ver.
Paciente: Claro!
Médico: Uhm. Você é alérgico a alguma medicação?
Paciente: Não que eu saiba.
Médico: O.k. Vou te receitar um creme. Você deve passar duas vezes ao dia. Evite coçar a pele nos próximos dias. Você deverá ficar bem logo.
Paciente: Obrigado, doutor!

Check out the translation of this dialogue on p. 177

A MEDICAL APPOINTMENT
UMA CONSULTA MÉDICA

Where does it hurt?
  Onde dói?
  Check out Theme glossary: the human body & symptoms p. 146

Does it hurt here?
  Dói aqui?

Can you move your arm/leg like this?
  Você consegue mexer seu braço/perna assim?

Breathe deeply.
  Respire fundo.

Breathe in and breathe out.
  Inspire e expire.

Have you had trouble sleeping?
  Você tem tido dificuldade para dormir?

How long have you been feeling like this?
  Há quanto tempo você se sente assim?

Have you felt like this before?
  Você já se sentiu assim antes?

Are you taking any medication?
  Você está tomando algum remédio?

Are you allergic to anything?
  Você é alérgico a alguma coisa?

Have you had unprotected sex?
  Você fez sexo sem proteção?

When did you last have your period?
  Quando foi sua última menstruação?

Let's get an X-ray of your knee/lungs/etc.
  Vamos tirar um raio X do seu joelho/pulmões/etc.

Let's take your blood pressure/temperature.
  Vamos tirar sua pressão/temperatura.

It seems you have twisted/sprained your ankle.
  Parece que você torceu o tornozelo.

We'll need to put your arm/foot in a cast.
  Vamos ter que engessar seu braço/pé.

We'll need to put your leg in a cast.
  Vamos ter que engessar sua perna.

I need to give you a shot.
    Preciso te dar uma injeção.
I'll need to give you some stitches.
    Vou precisar te dar alguns pontos.
We need you to take a blood test.
    Precisamos fazer exame de sangue.
I'll prescribe some medicine for you.
    Vou receitar um remédio para você.
Take two pills every six hours.
    Tome dois comprimidos a cada seis horas.
You should rest for two days.
    Você deve descansar por dois dias.
You should feel better in a few days.
    Você deve se sentir melhor em alguns dias.

TELLING THE DOCTOR HOW YOU FEEL
DIZENDO AO MÉDICO COMO VOCÊ SE SENTE

I'm not feeling very well.
    Não estou me sentindo muito bem.
I'm feeling dizzy.
    Estou me sentindo tonto.
I think I'm going to faint.
    Acho que vou desmaiar.
I can't breathe properly.
    Não consigo respirar direito.
I feel like throwing up.
    Sinto vontade de vomitar.
I ache all over.
    Estou com o corpo inteiro doendo.
I have a pain in my arm/chest.
    Estou com dor no braço/no peito.
I have a pain in my leg.
    Estou com dor na perna.
My... hurts.
    Meu/minha... está doendo.
Check out Theme glossary: the human body & symptoms p. 146

I have a stiff neck.
Estou com torcicolo.
I've noticed a lump here.
Notei um caroço aqui.
I'm feeling very weak.
Estou me sentindo muito fraco.
I can't move my...
Não consigo mexer meu/minha...
Check out Theme glossary: the human body & symptoms p. 146
I've burned my hand.
Queimei minha mão.
My... is swollen.
Meu/Minha... está inchado(a).
My wrist is sore.
Meu pulso está dolorido.
I have the flu.
Estou com gripe.
I have a bad cold.
Estou com um resfriado forte.
I have a headache.
Estou com dor de cabeça.
I have a sore throat.
Estou com dor de garganta.
I have a bad cough.
Estou tossindo muito.
I have a temperature/fever.
Estou com febre.
I'm sneezing a lot.
Estou espirrando muito.
I have a runny nose.
Estou com coriza.
My nose is bleeding.
Meu nariz está sangrando.
I have a stomachache.
Estou com dor de estômago.
I have a backache.
Estou com dor nas costas.

I have a toothache.
    Estou com dor de dente.
I have a earache.
    Estou com dor de ouvido.
My nose is stuffed up.
    Meu nariz está entupido.
I have a heartburn.
    Estou com azia.
I'm pregnant.
    Estou grávida.
I haven't had my period for... days.
    Não fico menstruada há... dias.
I'm diabetic.
    Sou diabético(a).
I'm sweating a lot.
    Estou suando muito.
I'm allergic to...
    Sou alérgico a...
Do I need a prescription to buy that medicine?
    Preciso de receita médica para comprar este remédio?

THEME GLOSSARY: THE HUMAN BODY & SYMPTOMS

GLOSSÁRIO TEMÁTICO: O CORPO HUMANO & SINTOMAS

Allergy: alergia
Ankle: tornozelo
Annual check-up: check-up annual
Appendix: apêndice
Appendicitis: apendicite
Arm: braço
Artery: artéria
Asthma: asma
Arthritis: artrite
Back: costas
Backbone; spinal column: coluna vertebral
Bladder: bexiga
Bleeding: sangramento
Bleed/bled/bled: sangrar
Blister: bolha
Blood pressure: pressão sanguínea
Breast: seio
Bronchitis: bronquite
Bruise: machucado; hematoma
Burn: queimadura
Buttocks: nádegas
Chin: queixo
Dizziness: tontura; vertigem
Cardiologist: cardiologista
Cheek: bochecha
Chest: peito
Chicken pox: catapora
Constipation: prisão de ventre
Cramp: cãibra
Cream: pomada
Diabetes: diabete
Diarrhea: diarreia
Ears: orelhas
Ear, nose and throat specialist/doctor: otorrinolaringologista
Elbow: cotovelo
Emergency room; ER: pronto-socorro; PS
Epileptic seizure: ataque epiléptico
Eyebrow: sobrancelha
Eyelashes: cílios
Eyelid: pálpebra
Eyes: olhos
Fingers: dedos da mão
Foot: pé / Feet: pés
Forehead: testa
Fracture: fratura
General practitioner (GP): clínico geral
German measles: rubéola
Gum: gengiva
Gynecologist: ginecologista
Hair: cabelo
Hand: mão
Head: cabeça
Heart: coração
Heart attack: enfarte
Heartburn: azia
Heel: calcanhar
Hemorrhoids: hemorroida
Hernia: hérnia
Hip: quadril
Index finger: dedo indicador
Indigestion: indigestão
Infection: infecção

Insomnia: insônia
Insulin: insulina
Jaw: maxilar
Kidneys: rins
Knee: joelho
Laryngitis: laringite
Lips: lábios
Little finger; pinkie: dedo mínimo; mindinho
Liver: fígado
Leg: perna
Lungs: pulmões
Measles: sarampo
Middle finger: dedo médio
Migraine: enxaqueca
Mouth: boca
Muscle: músculo
Nail: unha
Nausea: náusea
Neck: pescoço
Neurologist: neurologista
Nose: nariz
Ointment: pomada
Ophthalmologist: oftalmologista
Organs: órgãos
Orthopedist: ortopedista
Pediatrician: pediatra
Penis: pênis
Period pains: cólicas menstruais
Pneumonia: pneumonia
Prostate: próstata
Rash: alergia; erupção cutânea
Rheumatism: reumatismo
Rib: costela
Ring finger: dedo anular
Seizure: convulsão
Shot: injeção
Shoulder: ombro
Sickness, nausea: enjoo
Side effect: efeito colateral
Sinus trouble: sinusite
Smallpox: varíola
Spleen: baço
Spots: manchas
Sting: picada de inseto
Stomach, belly: barriga
Stomack cramps: cólicas estomacais
Stroke: AVC – Acidente Vascular Cerebral; derrame
Surgeon: cirurgião
Suture: sutura
Suture/sutured/sutured: suturar
Swelling: inchaço
Teeth: dentes
Thigh: coxa
Throat: garganta
Thumb: polegar
Toes: dedos do pé
Tongue: língua
Tonsils: amígdalas
Tonsillitis: amigdalite
Ulcer: úlcera
Vagina: vagina
Vein: veia
Waist: cintura
Wrist: pulso

CD A DENTAL APPOINTMENT
UMA CONSULTA NO DENTISTA

I have a toothache.
Estou com dor de dente.

I think I have a cavity.
Acho que tenho uma cárie.

I have a broken tooth.
Estou com um dente quebrado.

I've lost a filling.
Perdi uma obturação.

My teeth are very sensitive.
Meus dentes estão muito sensíveis.

My gums hurt.
Minhas gengivas estão doendo.

THEME GLOSSARY: AT THE DENTIST'S

GLOSSÁRIO TEMÁTICO: NO DENTISTA

Anesthesia: anestesia
Baby tooth: dente de leite
Brush one's teeth: escovar os dentes
Bridge: ponte
Cavity: cárie
Crown: coroa
Dental appointment: hora marcada no dentista; consulta no dentista
Dental floss: fio dental
Dentures: dentadura
Drill: broca de dentista
Extract a tooth: arrancar um dente; extrair um dente
False teeth: dentadura
Fill a tooth: obturar um dente
Filling: obturação
Floss/flossed/flossed: passar fio dental
Gargle/gargled/gargled: gargarejar
Gargle: gargarejo
Milk tooth: dente de leite
Mouthwash: antisséptico bucal
Pull out a tooth: arrancar um dente; extrair um dente
Rinse out one's mouth: bochechar
Root canal: canal
Teeth: dentes
Tooth: dente
Toothbrush: escova de dente
Toothpaste: pasta de dente
Tooth decay: cárie
Wisdom tooth: dente do siso

Refer to Brazilian Portuguese Grammar Tips: Verbs p. 160

EMERGENCIES: USEFUL PHRASES

EMERGÊNCIAS: FRASES ÚTEIS

Can you tell me where the nearest police station is?
: Você sabe me dizer onde fica a delegacia de polícia mais próxima?

I'd like to file a police report.
: Queria fazer um boletim de ocorrência.

I want to report a theft.
: Queria registrar um roubo.

My passport has been stolen.
: Meu passaporte foi roubado.

My credit card has been stolen.
: Meu cartão de crédito foi roubado.

My wallet/purse/luggage has been stolen.
: Minha carteira/bolsa/bagagem foi roubada.

I've lost my traveler's checks.
: Perdi meus cheques de viagem.

I'd like to contact the Consulate.
: Gostaria de contatar o Consulado.

Someone has broken into our car.
: Alguém arrombou nosso carro.

My camera has been stolen.
: Roubaram minha máquina fotográfica.

There has been an accident.
: Houve um acidente.

Could you please call an ambulance?
: Você poderia, por favor, chamar uma ambulância?

I need to make a phone call.
: Preciso fazer um telefonema.

THEME GLOSSARY: EMERGENCIES
GLOSSÁRIO TEMÁTICO: EMERGÊNCIAS

Accident: acidente
Ambulance: ambulância
Belongings: pertences
Crash: batida
Crash/crashed/crashed: colidir; bater
Damage/damaged/damaged: danificar
Damage: dano; prejuízo
Emergency room: pronto-socorro
Fire department: corpo de bombeiros
Fire: incêndio
First-aid kit: kit de primeiros socorros
Flood: inundação
Hurt/hurt/hurt: machucar
Injured: ferido
Lost and found: achados e perdidos
Lose/lost/lost: perder
Mug/mugged/mugged: assaltar
Pickpocket: batedor de carteiras; "trombadinha"
Policeman: policial
Police report: boletim de ocorrência
Police station: delegacia de polícia
Rescue: resgate
Robber: assaltante
Robbery: roubo
Rob/robbed/robbed: assaltar
Steal/stole/stolen: roubar
Theft: furto
Thief: ladrão
Tow/towed/towed: rebocar

Refer to Brazilian Portuguese Grammar Tips: Verbs p. 160

BRAZILIAN PORTUGUESE GRAMMAR TIPS

ARTICLES
ARTIGOS

DEFINITE ARTICLES: ARTIGOS DEFINIDOS

The = *O* for singular masculine nouns.
Ex.: O cachorro branco. (The white dog)
The = *A* for singular feminine nouns.
Ex.: A bicicleta vermelha. (The red bicycle)
The = *Os* for plural masculine nouns.
Ex.: Os cachorros brancos. (The white dogs)
The = *As* for plural feminine nouns.
Ex.: As bicicletas vermelhas. (The red bicycles)

INDEFINITE ARTICLES: ARTIGOS INDEFINIDOS

A = *Um* for singular masculine nouns.
Ex.: Um carro novo. (A new car)
A = *Uma* for singular feminine nouns.
Ex.: Uma menina bonita. (A beautiful girl)
Some = *Uns* for plural masculine nouns.
Ex.: Uns livros interessantes. (Some interesting books)
Some = *Umas* for plural feminine nouns.
Ex.: Umas fotografias velhas. (Some old photos)

NOUNS
SUBSTANTIVOS

Masculine nouns in Portuguese usually end in "*o*".
Ex.: Livro (book)
Carro (car)

Amigo (friend)
Médico (doctor)

Feminine nouns in Portuguese usually end in *"a"*.
Ex.: Cadeira (chair)
Casa (house)
Amiga (friend)
Médica (doctor)

PLURAL OF NOUNS
PLURAL DOS SUBSTANTIVOS

Add *"s"* to words ending in a vowel:
Ex.: carro (car) – carros (cars)
mesa (table) – mesas (tables)
livro (book) – livros (books)

Add *"es"* to words ending in *"r", "s" or "z":*
Ex.: computador (computer) – computadores (computers)
mês (month) – meses (months)
luz (light) – luzes (lights)

Words ending in *"ão"* form their plural in three ways, depending on the word: *ões, ães* or *ãos.*
Ex.: avião (plane) – aviões (planes)
pão (loaf of bread) – pães (loaves of bread)
mão (hand) – mãos (hands)

Words ending in *"al"* and *"el"* form their plural by changing the *"l"* for *"is":*
Ex.: capital (capital) – capitais (capitals)
hotel (hotel) – hotéis (hotels)
jornal (newspaper) – jornais (newspapers)
papel (paper) – papéis (papers)

Words ending in *"m"* form their plural by changing *"m"* to *"ns"*
Ex.: trem (train) – trens (trains)
jardim (garden) – jardins (gardens)

Obs: Some nouns in Portuguese are always used in the plural, while their equivalents in English are in the singular. Check out some usual examples below:

Ex.: férias (vacation), costas (back - part of the body)

ADJECTIVES

ADJETIVOS

The end of the adjective matches the gender of the noun. Just like nouns, masculine adjectives usually end in *"o"*, and feminine adjectives normally end in *"a"*. For plural add *"s"*. Unlike English, in Portuguese the adjective usually comes *after* the noun. Check out the examples below:

Prédio branco (white building) – Prédios brancos (white buildings)
Casa branca (white house) – Casas brancas (white houses)
Relógio novo (new watch) – Relógios novos (new watches)
Mesa nova (new table) – Mesas novas (new tables)

Some adjectives ending in *"e"* (*ex.: interessante, grande, inteligente*) are neutral and stay the same for both masculine and adjective. For plural add *"s"*.

Livro interessante (interesting book) – Livros interessantes (interesting books)
História interessante (interesting story) – Histórias interessantes (interesting stories)
Apartamento grande (big apartment) – Apartamentos grandes (big apartments)
Casa grande (big house) – Casas grandes (big houses)

PERSONAL PRONOUNS
PRONOMES PESSOAIS

Check out the table below for the pronouns in Portuguese:

Personal Pronouns	Pronomes pessoais
I	Eu
You	Você (singular) Vocês (plural)
He	Ele
She	Ela
It	Ele (masculine) Ela (feminine)
We	Nós
They	Eles (masculine) Elas (feminine)

Obs: Besides *"nós"*, a very usual way to express "we" in Portuguese is by using the colloquial term *"a gente"*. Check out the examples below:

A gente adora o Brasil. (We love Brazil.)
A gente viaja para o exterior todos os anos. (We travel abroad every year.)

DEMONSTRATIVE PRONOUNS
PRONOMES DEMONSTRATIVOS

Check out the comparative table below for the demonstrative pronouns:

Demonstrative Pronouns	Masculine	Feminine
This	isto, este	esta
That	aquilo (= isso) aquele (= esse)	aquela (= essa)
These	estes	estas
Those	aqueles (= esses)	aquelas (=essas)

Now check out some examples of demonstrative pronouns in the sentences below:

Este bolo está delicioso. (This cake is delicious.)
Esta caneta é da Melissa. (This is Melissa's pen.)
Estes exemplos são muito fáceis de entender. (These examples are very easy to understand.)
Estas mesas estão sujas. (These tables are dirty.)
Aquele computador é meu. (That computer is mine.)
Estes livros são meus. (These are my books.)
De quem são estas roupas? (Whose are these clothes?)
Quem são aquelas pessoas? (Who are those people?)
De quem é esse carro? (Whose is that car?)

POSSESSIVE PRONOUNS
PRONOMES POSSESSIVOS

The possessive pronoun in Portuguese varies depending on the gender of the thing you are talking about and also if it is singular or plural. Check out the following comparative table for the possessive pronouns in Portuguese.

Possessive Pronouns	Masculine Singular	Feminine Plural	Masculine Singular	Feminine Plural
My	meu	minha	meus	minhas
Your	seu	sua	seus	suas
His	dele	X	X	X

Now check out some examples of the possessive pronouns in the sentences below:

Minhas roupas estão na mala. (My clothes are in the bag.)
Onde está o seu passaporte? (Where is your passport?)
O nosso dinheiro está no cofre. (Our money is in the safe.)

Obs. 1: For *his* (*dele*), *her* (*dela*) and *their* (*deles/delas*) invert the word order: place the possessive pronoun after the thing. Check out the examples below:

As malas deles ainda estão no carro. (Their bags are still in the car.)
O pai dela é americano, mas a mãe dela é brasileira. (Her father is American, but her mother is Brazilian.)
Você viu o carro novo dele? (Have you seen his new car?)

Obs. 2: When the owner's name is mentioned (proper name) use *do* for masculine and *da* for feminine, before the name. The same happens if you are talking about a city or place. Check out the examples below:

O celular do Paulo está aqui. (Paulo's cell phone is here.)
O apartamento da Cláudia tem três quartos. (Cláudia's apartment has three rooms.)
O carro do Renato é preto. (Renato's car is black.)
As praias do Brasil são lindas. (Brazil's beaches are gorgeous.)

VERB TO BE

To be = *Ser* and *Estar*
In Portuguese the verb to be means both *ser* and *estar*. The verb *ser* is basically used for permanent conditions and the verb *estar* is used for momentary conditions or characteristics. Check out the examples below:

Meu notebook é leve. (My notebook computer is light.) - a permanent condition.
Meu notebook está na mesa. (My notebook computer is on the desk.) - it's on the desk now, a momentary condition.
Paulo é professor. (Paul is a teacher.) - that's his job, even though he can change jobs it's more like a permanent condition.
Paulo está cansado. (Paul is tired.) - he's tired now, a momentary condition.

Now check out the conjugation table below:

To be	Ser / Estar
I am	Eu sou / estou
You are	Você é / está Vocês são / estão
He is	Ele é / está
She is	Ela é / está
It is	Ele é / está Ela é / está
We are	Nós somos / estamos
They are	Eles são / estão Elas são / estão

Check out the examples below:

Eu estou com sede. (I am thirsty.)
Ela é casada. (She is married.)
Nós somos brasileiros. (We are Brazilian.)
Eles estão na cozinha. (They are in the kitchen.)
Elas são altas. (They are tall.)

VERBS
VERBOS

Portuguese verbs basically fall into three categories, those that end in *ar*, *er* and *ir*. Ex.: *Trabalhar* (speak); *Correr* (run); *Sorrir* (smile).
Most *ar* ending verbs are conjugated in the same way. There are rules for the *er* and *ir* ending verbs, but not all of them follow the rules. In order to conjugate a verb you have to take off the ending of the verb (*ar*, *er*, *ir*) and replace them with a new ending which will depend on the pronoun, that is, the person who's doing the action. Check out the following tables for the Present Tense:

AR ENDING VERBS

Ex.: Trabalhar (work), Estudar (study), Falar (speak)

Pronomes Pessoais	Replace with this verb ending...	Ex. Trabalhar (work)	Ex. Estudar (study)	Ex. Falar (speak)
Eu	o	Eu trabalho	Eu estudo	Eu falo
Você (singular)	a	Você trabalha	Você estuda	Você fala
Ele / Ela	a	Ele/Ela trabalha	Ele/Ela estuda	Ele/Ela fala
Nós	amos	Nós trabalhamos	Nós estudamos	Nós falamos
Vocês (plural)	am	Vocês trabalham	Vocês estudam	Vocês falam
Eles / Elas	am	Eles/Elas trabalham	Eles/Elas estudam	Eles/Elas falam

Obs: Most *AR* ending verbs follow the conjugation table above.

Now check out some sentences with *AR* ending verbs in the present:

Eu trabalho naquela escola. (I work in that school.)
Eles falam várias línguas. (They speak several languages.)
Você estuda português? (Do you study Portuguese?)

ER ENDING VERBS

Ex.: Correr (run), Entender (understand), Comer (eat)

Pronomes Pessoais	Replace with this verb ending...	Ex. Correr (run)	Ex. Entender (understand)	Ex. Comer (eat)
Eu	o	Eu corro	Eu entendo	Eu como
Você (singular)	e	Você corre	Você entende	Você come
Ele / Ela	e	Ele/Ela corre	Ele/Ela entende	Ele/Ela come
Nós	emos	Nós corremos	Nós entendemos	Nós comemos
Vocês (plural)	em	Vocês correm	Vocês entendem	Vocês comem
Eles / Elas	em	Eles/Elas correm	Eles/Elas entendem	Eles/Elas comem

Obs: Many *ER* ending verbs are irregular and do not follow the conjugation table above!

Now check out some sentences with *ER* ending verbs in the present:

Nós comemos salada todos os dias. (We eat salad every day.)
Eles pretendem viajar no próximo final de semana. (They intend to travel next weekend.)
Ela bebe leite todos os dias. (She drinks milk every day.)

IR ENDING VERBS

Ex.: Partir (leave), Abrir (open), Assistir (watch)

Pronomes Pessoais	Replace with this verb ending...	Ex. Partir (leave)	Ex. Abrir (open)	Ex. Assistir (watch)
Eu	o	Eu parto	Eu abro	Eu assisto
Você (singular)	e	Você parte	Você abre	Você assiste
Ele / Ela	e	Ele/Ela parte	Ele/Ela abre	Ele/Ela assiste
Nós	imos	Nós partimos	Nós abrimos	Nós assistimos
Vocês (plural)	em	Vocês partem	Vocês abrem	Vocês assistem
Eles / Elas	em	Eles/Elas partem	Eles/Elas abrem	Eles/Elas assistem

Obs: Many *IR* ending verbs are irregular and do not follow the conjugation table above!

Now check out some sentences with *IR* ending verbs in the present:

Nós partimos para o Brasil hoje. (We leave for Brazil today.)
Eles abrem todas as janelas de manhã. (They open all the windows in the morning.)
Ela assiste à novela todas as noites. (She watches the soap opera every night.)

PAST TENSE

To conjugate *AR* ending verbs in the past, take off the *AR* ending from the verb and replace them with the endings shown in the table below.

Pronomes Pessoais	Replace with this verb ending...	Ex. Trabalhar (work)	Ex. Estudar (study)	Ex. Falar (speak)
Eu	ei	Eu trabalhei	Eu estudei	Eu falei
Você (singular)	ou	Você trabalhou	Você estudou	Você falou
Ele / Ela	ou	Ele/Ela trabalhou	Ele/Ela estudou	Ele/Ela falou
Nós	amos	Nós trabalhamos	Nós estudamos	Nós falamos
Vocês (plural)	aram	Vocês trabalharam	Vocês estudaram	Vocês falaram
Eles / Elas	aram	Eles/Elas trabalharam	Eles/Elas estudaram	Eles/Elas falaram

Now check out some sentences with *AR* ending verbs in the past:

Vocês falaram português a semana passada? (Did you speak Portuguese last week?)
Ele estudou engenharia em São Paulo. (He studied engineering in São Paulo.)
Eu comprei alguns livros ontem. (I bought some books yesterday.)

To conjugate *ER* ending verbs in the past, take off the *ER* ending from the verb and replace them with the endings shown in the table below.

Pronomes Pessoais	**Replace with this verb ending...**	**Ex. Correr (run)**	**Ex. Entender (understand)**	**Ex. Comer (eat)**
Eu	i	Eu corri	Eu entendi	Eu comi
Você (singular)	eu	Você correu	Você entendeu	Você comeu
Ele / Ela	eu	Ele/Ela correu	Ele/Ela entendeu	Ele/Ela comeu
Nós	emos	Nós corremos	Nós entendemos	Nós comemos
Vocês (plural)	eram	Vocês correram	Vocês entenderam	Vocês comeram
Eles / Elas	eram	Eles/Elas correram	Eles/Elas entenderam	Eles/Elas comeram

Obs: Some *ER* ending verbs are irregular and do not follow the conjugation table above!

Now check out some sentences with *ER* ending verbs in the past:

Eu entendi o que você disse. (I understood what you said.)
Você comeu as batatas que eu deixei no forno? (Did you eat the potatoes that I left in the oven?)
Nós corremos no parque ontem. (We ran in the park yesterday.)

To conjugate *IR* ending verbs in the past, take off the IR ending from the verb and replace them with the endings shown in the table below.

Pronomes Pessoais	**Replace with this verb ending...**	**Ex. Partir (leave)**	**Ex. Abrir (open)**	**Ex. Assistir (watch)**
Eu	i	Eu parti	Eu abri	Eu assisti
Você (singular)	iu	Você partiu	Você abriu	Você assistiu
Ele / Ela	iu	Ele/Ela partiu	Ele/Ela abriu	Ele/Ela assistiu
Nós	imos	Nós partimos	Nós abrimos	Nós assistimos
Vocês (plural)	iram	Vocês partiram	Vocês abriram	Vocês assistiram
Eles / Elas	iram	Eles/Elas partiram	Eles/Elas abriram	Eles/Elas assistiram

Obs: Some *IR* ending verbs are irregular and do not follow the conjugation table above!

Now check out some sentences with *IR* ending verbs in the past:

Eles partiram ontem. (They left yesterday.)
Eu abri a janela porque estava calor. (I opened the window because it was hot.)
Nós incluímos o seu nome na lista. (We included your name in the list.)

FUTURE TENSE

To express future use the verb *ir* (to go) (check out the conjugation table below) + the base form of any verb, ex. *Trabalhar* (work), *Comer* (eat), *Visitar* (visit), *Abrir* (open), *Comprar* (buy), *Entender* (understand), *Viajar* (travel), etc.

Pronomes Pessoais	Ir (to go)	Ex. Visitar, Comer, Partir etc
Eu	vou	visitar/comer/partir/etc.
Você (singular)	vai	visitar/comer/partir/etc.
Ele / Ela	vai	visitar/comer/partir/etc.
Nós	vamos	visitar/comer/partir/etc.
Vocês (plural)	vão	visitar/comer/partir/etc.
Eles / Elas	vão	visitar/comer/partir/etc.

Now check out some sentences in the future below:

Eles vão viajar para o Rio de Janeiro na próxima semana. (They are going to travel to Rio next week.)
Nós vamos comer peixe no almoço hoje. (We are going to eat fish for lunch today.)
Ela vai visitar o museu amanhã de manhã. (She is going to visit the museum tomorrow morning.)

ASKING SOMEONE TO DO SOMETHING FOR YOU

PEDINDO ALGUÉM PARA FAZER ALGO PARA VOCÊ

A very usual way of asking someone to do something for you in Brazilian Portuguese is starting with the object pronoun *me* followed by a verb. Check out the examples below:

Me conta o que aconteceu. (Tell me what happened.)
Me empresta a sua caneta um segundo. (Lend me your pen for a second.)

Me faz um favor. (Do me a favor.)
Me traz um café, por favor. (Bring me some coffee please.)

MAKING COMPARISONS
FAZENDO COMPARAÇÕES

The comparison of equality in Portuguese is formed by placing the word *tão* (as) before the adjective/adverb and the word *quanto* (as) after the adjective/adverb. Check out the examples below:

Esta mala é tão grande quanto aquela. (This bag is as big as that one.)
Este restaurante é tão caro quanto aquele. (This restaurant is as expensive as that one.)

The comparison of superiority is formed by placing the word *mais* (more) before the adjective/adverb and the words *do que* (than) after the adjective/adverb. Check out the examples below:

Aquela câmera é mais cara do que esta. (That camera is more expensive than this one.)
O Pedro é mais alto do que o Paulo. (Pedro is taller than Paulo.)

For the comparison of superlative use the articles *o, a, os, as* (the) and the word *mais* (most). Check out the examples below:

O carro do Ronaldo é o mais rápido. (Ronaldo's car is the fastest one.)
Parati é a cidade mais bonita na minha opinião. (Parati is the most beautiful city in my opinion.)
Os restaurantes mais caros estão nesta rua. (The most expensive restaurants are in this street.)

São Paulo e Rio são as cidades mais interessantes que visitei no Brasil. (São Paulo and Rio are the most interesting cities I visited in Brazil.)

Obs. Some adjectives are irregular. Check out their forms for masculine, feminine and plural below:

bom/boa/bons/boas = good
melhor do que/melhores do que = better than
o melhor/a melhor/os melhores/as melhores = the best

Now check out the examples below:

Este hotel é tão bom quanto o outro. (This hotel is as good as the other one.)
Este hotel é melhor do que o outro. (This hotel is better than the other one.)
Qual é o melhor hotel nesta cidade? (What's the best hotel in this city?)
Os melhores restaurantes estão nesta região da cidade. (The best restaurants are in this region of the city.)

mau/má/maus/más = bad
pior do que/piores do que = worse than
o pior/a pior/os piores/as piores = the worst

Now check out the examples below:

Paul fala italiano tão mau quanto eu. (Paul speaks Italian as bad as I do.)
Viajar de ônibus é pior do que de trem. (Traveling by bus is worse than by train.)
Aquele foi o pior lugar que visitamos. (That was the worst place we visited.)

grande/grandes = big
maior do que/maiores do que = bigger than
o maior/a maior/os maiores/as maiores = the biggest

Now check out the examples below:

Esta cidade é tão grande quanto a última que visitamos. (This city is as big as the last one we visited.)
São Paulo é maior do que o Rio de Janeiro. (São Paulo is bigger than Rio de Janeiro.)
Qual é a maior cidade no Brasil? (What's the biggest city in Brazil?)

pequeno/pequena/pequenos/pequenas = small
menor do que/menores do que = smaller than
o menor/a menor/os menores/as menores = the smallest

Now check out the examples below:

Este quarto é tão pequeno quanto o outro. (This room is as small as the other one.)
Este quarto é menor do que o outro. (This room is smaller than the other one.)
Este quarto é o menor de todos. (This is the smallest room.)

CONTRACTIONS
CONTRAÇÕES

Em + um (in + a) = num - used with masculine words
Em + uma (in + a) = numa - used with feminine words

Now check out the examples below:

Ele trabalha em um escritório = Ele trabalha num escritório (He works in an office)
Elas estudam em uma escola perto daqui = Elas estudam numa escola perto daqui. (They study in a school near here)

Obs: *No* and *na* are equivalent in English to *in* + *the* or *on* + the. *No* is used with masculine words and *na*, with feminine words. Check out the examples below:

Ele está no escritório agora. (He's in the office now.)
Elas estão na cozinha. (They are in the kitchen.)

For plural add *"s"*: *nos* and *nas*.
Ex.: nos quartos (in the rooms); nas mesas (on the tables)

DIALOGUES

ENGLISH VERSION

Dialogue: Are you enjoying Brazil?

Carlos: What's up? Is everything all right?
Nick: Good!
Carlos: Are you enjoying Brazil?
Nick: I am! It's a wonderful country! The people are very nice, the weather is very good and the beaches are gorgeous!
Carlos: Cool! You need to try our churrasco and drink caipirinha before you go away!
Nick: Sure!
Carlos: Ah! I almost forgot! You need to have feijoada as well!

Check out cool tips on Brazilian steakhouses p. 79; Caipirinha p. 100 and Feijoada p. 95

Dialogue: I'm mineiro!

Mike: Were you born here in Rio (de Janeiro)?
Ricardo: No, I'm mineiro! I was born in Belo Horizonte, Minas Gerais.
Mike: And how long have you lived in Rio?
Ricardo: About ten years. I met a carioca, fell in love, got married and moved here.
Mike: How interesting!

Check out cool tip 2: Carioca, mineiro, baiano... p. 20

Dialogue: Can you spell it please?

Reception desk: What's your last name sir?
Tourist: Williams.
Reception desk: Can you spell it please?
Tourist: Sure! W-I-L-L-I-A-M-S.
Reception desk: Williams, right! Can you sign here please?
Tourist: O.k.
Reception desk: Very good, sir. You're in room 503. Here's your key.
Tourist: Thank you very much.
Reception desk: You're welcome!

Dialogue: What's the weather like today?

Tourist: What's the weather like today?
Reception desk: Well, it was kind of cloudy early in the morning, but the sun is coming out now.
Tourist: Is it hot enough to go swimming?
Reception desk: I think so, sir. But even if it isn't, one of our swimming pools is heated, so you can definitely use that one.
Tourist: Oh, it's good to know that. Thanks!

Dialogue: Checking in at the airport

Flight 7107 to São Paulo, now boarding at gate 23.

Check-in attendant: Good morning, sir. May I see your passport and ticket please?
Tourist: Sure! Here you are.
Check-in attendant: Thank you, sir. Can you please put your bag on the scale?
Tourist: O.k.!
Check-in attendant: Very good, sir. Here's your boarding-pass. The plane starts boarding at 7 a.m. You will board at gate 23.

Tourist: Thank you!
Check-in attendant: You're welcome, sir! Have a nice flight.

Dialogue: Renting a car

Car rental agent: Good morning sir! What can I do for you?
Tourist: Hi! We need to rent a car for a week.
Car rental agent: Sure, sir. What kind of car do you have in mind?
Tourist: Well, we need a car with a big trunk. We have four suitcases.
Car rental agent: I see. Let me check in our computer system what we have available.
Tourist: O.k.! Thanks! By the way, we'd like to have full coverage, please.
Car rental agent: Very good, sir.

Dialogue: Problems with the air conditioning

Front desk: Front desk, good afternoon, Mário speaking. How can I help you, sir?
Tourist: Hello. Uhm, we seem to have a problem with the air conditioning. I don't think it's working properly.
Front desk: Don't worry, sir. I'll send someone to check it right away.
Tourist: Ah, by the way, could you also send us an extra towel, please?
Front desk: Sure, sir. I'll have one of our housekeeping staff take some more towels to your room.
Tourist: Thanks a lot!
Front desk: You're welcome, sir!

Dialogue: Asking for directions

Tourist: Excuse me. Do you know if there is a drugstore near here?
Passerby: There's one two blocks from here. You can't miss it.
Tourist: Thanks! I also need to withdraw some cash. Do you know where the nearest bank is?
Passerby: Actually there's an ATM in the drugstore I told you about. You can withdraw money there.
Tourist: Oh, that's perfect! Thank you so much for your help!
Passerby: You're welcome!

Dialogue: Looking for a place to eat

Tourist: Excuse me. Can you recommend a good restaurant near here?
Reception desk: Sure ma'am. What kind of food do you have in mind?
Tourist: Maybe some pasta and salad, and burgers and fries for the kids.
Reception desk: Well, in that case I would advise you to go to the food court of the Bayside shopping center, which is very near.
Tourist: Sounds good. Can you tell us how to get there?
Reception desk: Sure. I'll show you on the map.

Dialogue: At the snack bar

Waitress: Are you ready to order?
Tourist 1: Yes, I'd like a cheeseburger and some fries.
Tourist 2: I'll have the tuna fish and a green salad please.
Waitress: O.k. How about drinks?
Tourist 1: Do you have fresh squeezed orange juice?
Waitress: We do. You want one of those?
Tourist 1: Yes, please.

Tourist 2: I'll have a regular coke with ice and lemon, please.
Waitress: O.k.! I'll be right back with your drinks.

Dialogue: What places should we visit?

Tourist: Hello. I'd like to do some sightseeing. Can you recommend some places?
Front desk: Sure ma'am, there's a lot to see in the city. Have you been to any places yet?
Tourist: Not really. I got here last night.
Front desk: O.k., let me show you some places on the map here. Do you like parks and museums?

Dialogue: At the shoe store

Clerk: Can I help you, sir?
Tourist: I'm looking for sneakers. Do you have anything on sale?
Clerk: Some of our sneakers are 30% off. Let me show them to you. Over here, please (leading customer to another section of the store).
Tourist: Do you have these in black?
Clerk: I guess so. What size do you wear?
Tourist: Ten and a half usually, but it depends on the sneakers.
Clerk (looking for sneakers): O.k.! Here's a number ten and a half. Why don't you try them on?
Tourist: Sure. Thanks!
Refer to Shoe size conversion to Brazilian sizes on p. 120

Dialogue: A medical appointment

Doctor: Come on in, please.
Patient: Thanks! (sound of door closing...)
Doctor: What seems to be the problem?
Patient: Well, I've had this rash on my arm for two days now.

Doctor: Let me see it.
Patient: Sure!
Doctor: Uhm, Are you allergic to any medications?
Patient: Well, not that I know of.
Doctor: O.k. I'm going to give you a prescription for some cream. You should apply it twice a day. Avoid scratching your skin in the next few days. You should be fine soon.
Patient: Thanks, doc!

PORTUGUESE-ENGLISH GLOSSARY

A

Abaixar: to turn down (volume, air conditioner)
Abelha: bee
Aberto(a)/(os)/(as): open
Abraço: hug
Abridor de garrafas: bottle opener
Abridor de latas: can opener
Abril: April
Abrir: to open
Açaí na tigela: Refer to menus: snacks p. 88
Acampamento: camp
Acampar: go camping
Acarajé: Refer to cool tip 11 on p. 91
Achados e perdidos: lost and found
Achar: to find
ACM (Associação Cristã de Moços): YMCA (Young Men's Christian Association)
Acontecer: to happen
Acordar: to wake up
Acostamento: shoulder (US); hard shoulder (UK)
Adeus: goodbye
Aeromoça: stewardess
Aeroporto: airport
Agência de viagem: travel agency
Agente de viagens: travel agent
Agência dos correios: post office
Agora: now
Agosto: August
Agradável; agradáveis: pleasant
Água: water
Água com gás: sparkling water
Água de coco: Refer to menus: drinks p. 98
Água mineral: mineral water
Água potável: drinking water
Ajuda: help
Ajudante de garçom: busboy
Ajudar: to help
Alarme de incêndio: fire alarm
Albergue da juventude: youth hostel
Alfândega: customs
Almoço: lunch
Alto(a)/(os)/(as): tall
Alto(a)/(os)/(as) (things): high
Alto(a)/(os)/(as) (volume): loud
Alugar: to rent/rented/rented
Amarelo(a)/(os)/(as): yellow
Amar: to love
Amigo(a): friend
Amizade: friendship
Amor: love

Anfitrião: host
Anfitriã: hostess
Animal de estimação: pet
Antiguidades: antiques
Antiquário: antique shop
Apertado(a)/(os)/(as): tight
Apólice de seguro: insurance policy
Aposentado(a): retiree
Apresentar: to introduce
Aquecedor: heater
Aquecimento: heating
Aquecimento central: central heating
Ar-condicionado: air conditioning; air conditioner
Área para não fumantes: no-smoking area
Areia: sand
Armário: locker
Artesanato: craftwork; handicraft
Assinar: to sign
Assinatura: signature
Atraso: delay
Atrasado(a)/(os)/(as): late
Aumentar: to turn up (volume, air conditioner)
Azedo(a)/(os)/(as): sour
Azul: blue

B

Bacana (informal): nice, cool
Bagagem: luggage
Bagagem de mão: carry-on luggage
Baixo (volume, things): low
Baixo(a)/(os)/(as) (height): short
Balada (informal): party
Balcão de companhia aérea: airline counter
Balcão de informações: information desk
Baldeação: connection
Balsa: ferryboat
Banca de jornal: newsstand
Banco: bank; bench
Bandeja: tray
Banheira: bathtub
Banheiro: bathroom; toilet; restroom
Banho: bath
Bar: pub; bar
Barata: cockroach
Barato(a)/(os)/(as): cheap
Barba: beard
Barbeador: razor
Barbeador elétrico: electric shaver
Barbear-se: to shave
Barco: boat
Barraca: tent
Barulhento (a)/(os)/(as): noisy
Bate-papo: chat
Bateria: battery
Batida: Refer to menus: drinks p. 98
Batom: lipstick
Bauru: Refer to menus: snacks p. 88
Beber: to drink
Bebida: drink
Beijar: to kiss
Beijo: kiss
Beirute: Refer to menus: snacks p. 88
Beliche: bunk (bed)

Bem-vindo a...: welcome to...
Berimbau: a traditional Brazilian percussion instrument consisting of a single-string on a bow-shaped wooden pole played to the beat of capoeira (p. 182)
Biblioteca: library
Bicicleta: bicycle
Bigode: moustache
Bilhar: billiards
Bilhete: ticket
Bilheteria: ticket office
Binóculos: binoculars
Biquíni: bikini
Boa sorte: good luck
Boate: night club
Boca: mouth
Bolinho de bacalhau: Refer to menus: snacks p. 88
Bolsa: bag
Bolsa de mão: handbag
Bolsa de água quente: water bottle
Bom apetite!: Enjoy your meal!
Bomba de gasolina: pump
Bombeiros: fire brigade; firemen
Boné: cap
Bonito(a)/(os)/(as): beautiful
Bordado: embroidery
Bosque: woods
Botão: button
Bote salva-vidas: lifeboat
Branco(a)/(os)/(as): white
Breja (informal): beer
Brigadeiro: Refer to menus: desserts p. 96
Brincos: earrings
Brinquedo: toy
Bronzeado: tan
Bronzear: to sunbathe
Brunch: brunch
Buscar: to pick up
Bússola: compass

C

Cachaça: sugarcane liquor
Cabide: hanger
Cabine do comandante: cockpit
Cachoeira: waterfall
Cachorro: dog
Cadê (informal): where
Cadeira: chair
Cadeira de rodas: wheelchair
Café da manhã: breakfast
Check out menus: breakfast p. 86
Caipirinha: Refer to cool tip 14 p. 100
Caixa (person): cashier; checkout attendant; teller (banks)
Caixa eletrônico de banco: ATM – Automated Teller Machine (US); cash machine (UK); Cashpoint® (UK)
Calçada: sidewalk (US); pavement (UK)
Calção: shorts
Calção de banho: swimming trunks
Caldo de cana: Refer to menus: drinks p. 98
Calefação central: central heating
Cama: bed
Cama king-size: king-size bed
Camarão na moranga: Refer to menus: lunch & dinner p. 92

Camareira: chambermaid
Camping: campground (US); campsite (UK)
Caneca: mug
Caneta: pen
Capoeira: a popular Brazilian acrobatic martial art dance practiced nowadays as a sport. It is performed in a circle, to the sound of berimbau (p. 181), a percussion instrument of African origin.
Cardápio: menu
Cara: face; guy (informal)
Caro(a)/(os)/(as): expensive
Caroço de frutas: pip
Carregador de malas (hotels): porter; bellhop
Carro de aluguel: rental car
Cartão de crédito: credit card
Cartão de embarque: boarding--pass
Cartão-postal: postcard
Carteira: wallet
Carteira de motorista: driver's license
Carteiro: mailman (US); postman (UK)
Casado(a)/(os)/(as): married
Cassino: casino
Castelo: castle
Catedral: cathedral
Católico(a)/(os)/(as): catholic
Catupiry: Refer to menus: snacks p. 88
Cavalo: horse
Caverna: cave
Cedo: early
Celular: cell phone (US); mobile (UK)
Cemitério: cemetery
Centro financeiro: financial district
Cerâmica: ceramics
Certificado: certificate
Chafariz: fountain
Chamada a cobrar: collect call. Check out phone calls: usual phrases p. 73
Chamada telefônica local: local call
Chamada telefônica longa distância: long-distance call
Chão: ground; floor
Chapéu: hat
Charuto: cigar
Chave: key
Checar: to check
Chegada: arrival
Chegar: to arrive
Cheio(a)/(os)/(as): full
Cheque: check
Chover: to rain
Churrascaria: steakhouse Check out cool tip 10: Brazilian steakhouses on p. 79
Churrasco: barbecue
Chuveiro: shower
Ciclovia: bike lane
Cidade velha: old town
Cinto: belt
Cinto de segurança: seat belt
Cinzeiro: ashtray
Cinzento: grey
Classe: class
Classe executiva: business class
Classe econômica: economy class

Cobertor: blanket
Cocada: Refer to menus: desserts p. 96
Código: code
Código postal: zip code (US); postcode (UK)
Cofre: safe; safety deposit box
Colar: necklace
Colchão: mattress
Colchão de dormir: sleeping bag
Colete salva-vidas: life jacket
Colher: spoon
Colocar: to put
Com: with
Com antecedência: in advance
Com licença: excuse me
Combustível: fuel
Começar: to start
Comer: to eat
Comida: food
Comissão: commission
Comissário(a) de bordo: flight attendant
Companhia: company
Companhia aérea: airline (company)
Compartilhar: to share
Compartimento: compartment
Comprar: to buy
Comprido(a)/(os)/(as): long
Comprimento: length
Comprimido: pill
Compromisso: appointment
Concerto: concert
Condicionador: conditioner
Confirmar: to confirm
Confortável; confortáveis: comfortable
Congelador: freezer
Conhecer: to know, to meet
Conhecido(a)/(os)/(as): popular
Consertar: to fix
Conserto: repair
Consulado: consulate
Conta (restaurants): check (US); bill (UK)
Contra: against
Convite: invitation
Cópia: copy
Copo: glass
Cor: color
Correio: post office
Corretor de imóveis: real estate agent
Corrida: race
Cortar: to cut
Corte: cut
Corte de cabelo: haircut
Cortinas: curtains
Costa (litoral): coast
Couro: leather
Coxinha: Refer to menus: snacks p. 88
Cozinhar: to cook
Cozinheiro(a): cook
Crédito: credit
Criança: child
Cristal: crystal
Cruz: cross
Cruzeiro: cruise
Cumim: busboy
Curau de milho: Refer to menus: desserts p. 96
Curto(a)/(os)/(as): short
Custar: to cost
Custo adicional: extra charge

D

Dança: dance
Dançar: to dance
Danificado: damaged
Danificar: to damage
Dar: to give
Dar descarga: to flush
Data: date
Data de nascimento: date of birth
De segunda mão: second hand
Declarar: to declare
Decolar: to take off
Decolagem: take-off
Deficiente físico: disabled, handicapped
Delegacia de polícia: police station
Delicioso(a)/(os)/(as): delicious
Demais: too much
Depressa: quickly, fast
Dentro: inside, in
Depois: after
Depósito: deposit
Desagradável; desagradáveis: unpleasant
Descansar: to rest
Descer: to get off (buses, trains)
Descongelar: to defrost
Descontar: to cash (a check)
Desconto: discount
Desculpas: apologies
Desligar: to turn off (lights; TV, radio, air conditioner, etc)
Desmaiar: to faint
Despertador: alarm clock
Despertar: to wake up
Destino: destination
Detalhes: details
Devagar: slowly
Dever: to owe
Dezembro: December
Diamante: diamond
Diária de hotel: daily rate
Diariamente: daily
Dias úteis: weekdays
Diesel: diesel
Dieta: diet
Difícil; difíceis: difficult
Diminuir: to turn down (volume, air conditioner)
Dinheiro: money
Direção: direction
Direita: right
Direto: direct
Dirigir: to drive
Disponibilidade: availability
Disponível: available
Divertido(a)/(os)/(as): fun
Divertir-se: to have fun; to enjoy yourself
Dividir: to share
Divorciado(a)/(os)/(as): divorced
Dizer: to say/said/said
Doce: sweet
Dono(a): owner
Dormir: to sleep
Dormitório: bedroom
Dublado(a)/(os)/(as): dubbed
Durar: to last
Ducha: shower
Duro(a)/(os)/(as): hard

E

Elevador: elevator (US); lift (UK)
Embaixada: embassy
Embaixador: ambassador

Embarcar: to board
Embarque: boarding
Emergência: emergency
Empadinha: Refer to menus: snacks p. 88
Empresa: company
Emprestar: to lend
Encanador: plumber
Encontrar: to find; to meet
Endereço: address
Endereço de e-mail: e-mail address
Enfermeira: nurse
Engarrafamento: traffic jam
Engraçado(a)/(os)/(as): funny
Engraxate: shoeshine boy
Ensolarado(a)/(os)/(as): sunny
Entender: to understand
Entrada: ticket
Entrada: entrance
Entrar: to enter
Entrega: delivery
Entregar: to deliver
Entupido(a)/(os)/(as): clogged; blocked
Envelope: envelope
Enviar: to send
Enxaqueca: migraine
Equipamento: equipment
Equipe: team
Errado(a)/(os)/(as): wrong
Engano (telefonemas): wrong number
Erro: mistake
Escada: stairs
Escada rolante: escalator
Escada de emergência: fire escape
Escolher: to choose
Escorregadio(a)/(os)/(as): slippery
Escova: brush
Escova de cabelo: hair brush
Escova de dente: toothbrush
Escrever: to write
Escritório: office
Escuro(a)/(os)/(as): dark
Esfiha: Refer to menus: snacks p. 88
Esgotado: sold out
Esmalte: nail polish
Espelho: mirror
Esperar: to wait
Espetáculo: show
Esponja: sponge
Esporte: sport
Espreguiçadeira: deck chair
Esquerda: left
Esqui: skiing
Esqui aquático: water skiing
Esquiar: to ski; to go skiing
Esquina: corner
Estação de esqui: ski resort
Estação de metrô: subway station (US); underground station (UK)
Estação ferroviária: train station
Estação rodoviária: bus station
Estacionamento: parking lot (US); car park (UK)
Estacionar: to park
Estadia: stay
Estádio: stadium
Estátua: statue
Estepe: spare tire
Estrada: road; highway;

motorway (UK)
Estranho(a)/(os)/(as): strange
Estreito(a)/(os)/(as): narrow
Estudante: student
Estudar: to study
Excursão: excursion
Extintor de incêndio: fire extinguisher

F

Faca: knife
Fácil; fáceis: easy
Faixa de pedestre: crosswalk (US); zebra/pedestrian crossing (UK)
Falar: to speak
Faltando: missing
Famoso(a)/(os)/(as): famous
Farmácia: drugstore (US); chemist's (UK)
Farofa: Refer to menus: lunch & dinner p. 92
Faxineira: cleaner
Fazer a barba: to shave
Fazer as malas: to pack
Fazer compras: to go shopping
Fazer o check-in no aeroporto: check in at the airport
Fazer o check-in no hotel: check in at the hotel
Fazer o check-out (hotel): check out
Fazer o pedido (restaurants, snack bars, etc): to order
Fazer um cheque: make out a check
Fazer um doc: make a wire transfer
Fazer uma transferência eletrônica: make a wire transfer
Falta de energia: power failure
Falta de força: power failure
Fechado(a)/(os)/(as): closed
Fechadura: lock
Fechar: to close
Feijoada: Refer to cool tip 13: Feijoada: Brazil's national dish p. 95
Feio(a)/(os)/(as): ugly
Feliz aniversário: happy birthday
Feliz ano-novo: happy new year
Feliz Natal: merry Christmas
Feriado: holiday
Férias: vacation (US); holidays (UK)
Ferimento: injury; wound
Ferro de passar roupa: iron; flatiron
Ferrovia: railroad (US); railway (UK)
Fervido: boiled
Festa: party
Festa Junina: June party Check out cool tip 16: Festas Juninas p. 116
Fevereiro: February
Ficar: to stay
Ficha: form
Flash (camera): flash
Flor: flower
Floresta: forest
Fogo: fire
Fogão: stove
Folheto: brochure
Fonte: fountain
Formulário: form

Forno: oven
Forno de micro-ondas: microwave oven
Forte(s): strong
Fósforos: matches
Fotografia: photo; picture
Fotografar: take a photo; take a picture
Fotógrafo(a): photographer
Fralda: diaper (US); nappy (UK)
Fresco(a)/(os)/(as): fresh
Frigobar: minibar
Frio: cold
Fronha: pillowcase
Fruta: fruit
Frutos do mar: seafood
Fumar: to smoke
Funcionar: to work
Fundo(a)/(os)/(as): deep

G

Galeria de arte: art gallery
Garçom: waiter
Garçonete: waitress
Garfo: fork
Garganta: throat
Garrafa: bottle
Gasolina: gas (US); petrol (UK)
Gasolina sem chumbo: unleaded gas (US); unleaded petrol (UK)
Gastar: to spend (money)
Gato: cat
Geada: frost
Geladeira: refrigerator (US); fridge (UK)
Gelo: ice
Gemada: Refer to menus: breakfast p. 86
Gente: people
Gentil: kind
Gerente: manager
Gorjeta: tip; gratuity
Gostar: to like
Governança: housekeeping
GPS: GPS - Global Positioning System
Grama: grass
Gramado: lawn
Gramas: grams
Grande: big; large
Gratuito(a)/(os)/(as): free of charge
Graus: degrees
Grave(s): serious
Grávida: pregnant
Graxa: shoe polish
Grelhado(a)/(os)/(as): grilled
Grosso(a)/(os)/(as): thick
Grupo: group
Guarda-chuva: umbrella
Guarda-volumes: locker
Guardanapo: napkin
Guardanapo de papel: paper napkin
Guia: guide
Guinchar: to tow
Guincho: tow truck

H

Hall de entrada: hall; foyer
Hematoma: bruise
Hidromassagem: jacuzzi
Hipódromo: racetrack (US); racecourse (UK)
Hoje: today
Homem: man

Hora: hour
Hora do rush: rush hour
Hora marcada: appointment
Horário (buses, trains): schedule (US); timetable (UK)
Horário comercial: business hours
Horário de visita: visiting hours
Horrível/horríveis: awful; terrible
Hospedar alguém: put someone up
Hóspede: guest
Hospital: hospital
Hotel: hotel
Hotel cinco estrelas: five-star hotel

I

Iate: yacht
Idade: age
Idosos: senior citizens
Igreja: church
Ilegal/ilegais: illegal
Ilha: island
Imposto: tax
Incluso(a)/(os)/(as): included
Incluir: to include
Incomodar: to disturb
Indicar: to direct
Indigestão: indigestion
Infecção: infection
Infelizmente: unfortunately
Inferior: lower
Informações: information
Infração de trânsito: traffic violation
Ingresso: ticket
Inseto: insect
Insônia: insomnia
Instalações: facilities
Instruções: instructions
Instrutor: instructor
Interessante(s): interesting
Intérprete: interpreter
Interruptor de luz: switch
Interurbano: long-distance call
Inverno: winter
Ir: to go
Isqueiro: lighter

J

Janeiro: January
Janela: window
Jantar: dinner
Jardim: garden
Jardim botânico: botanical garden
Jet ski: jet ski
Joalheria: jeweler
Jogar (sports): to play
Jogar (casino): to gamble
Jogo: game
Jornal: newspaper
Jovem/jovens: young
Julho: July
Junho: June

K

Karaokê: karaoke
Ketchup: ketchup
Kibe: Refer to menus: snacks p. 88

L

Lã: wool
Ladrão: thief
Lago: lake
Lagoa: pond

Lâmina de barbear: razor blade
Lâmpada: bulb
Lancha: motorboat
Lanche: snack
Lanchonete: snack bar; diner
Lanterna: flashlight (US); torch (UK)
Largo(a)/(os)/(as): wide
Largo(a) (clothes): loose
Lata: can
Lata de lixo: trash can/ garbage can (US); dustbin/litter bin (UK)
Lavagem a seco: dry cleaning
Lavagem de roupas: laundry service
Lavanderia (autosserviço): laundromat (US); launderette (UK)
Legal (informal): cool; great; nice
Legendas (filme): subtitles
Lembranças: souvenirs; memories
Lenço: handkerchief
Lenço de papel: tissue
Lençóis: sheets
Lentes de contato: contact lenses
Lento(a)/(os)/(as): slow
Ler: to read
Leste: east
Levantar: to get up
Levar: to take
Leve(s): light
Ligar (light, TV, radio, air conditioner, etc): to turn on
Ligação internacional: international phone call
Ligação a cobrar: collect call
Check out phone calls: usual phrases p. 73
Limite de velocidade: speed limit
Check out usual traffic signs in Brazil p. 59
Limpar: to clean
Limpeza: cleaning
Limpo(a)/(os)/(as): clean
Limusine: limousine; limo
Liquidação: sale; clearance
Liso(a): plain
Lista telefônica: telephone directory
Livraria: bookstore (US); bookshop (UK)
Litro: liter
Check out cool tip 20: Measuring units in Brazil p. 135
Livre: free
Livro: book
Local: place; spot
Localização: location
Loção: lotion
Loção pós-barba: aftershave
Logo: soon
Loja: store (US); shop (UK)
Loja de conveniências: convenience store
Loja de departamento: department store
Lojinha de presentes (at hotels): gift shop
Longe: far
Lotado(a)/(os)/(as): crowded; full
Louça: china
Lua de mel: honeymoon
Lugar: place

Luva: glove
Luz: light

M

Maio: May
Maiô: bathing suit
Mais: more
Maître: head waiter
Mala: bag; suitcase
Maleta de mão: briefcase
Mal-educado(a)/(os)/(as): impolite; rude
Mal-entendido: misunderstanding
Mamadeira: bottle
Manga (fruit): mango
Manga (clothes): sleeve
Manhã: morning
Manicure: manicure
Manobrista: parking attendant
Mapa: map
Mapa rodoviário: road map
Maquiagem: make-up
Máquina de lavar: washing machine
Máquina fotográfica: camera
Máquina para fazer café: coffeemaker
Mar: sea
Marcar um horário: make an appointment
Março: March
Maria-mole: popular Brazilian spongy sweet made of egg whites, sugar and coconut; similar to a marshmallow
Marrom: brown
Matinê: matinee
Mau(s): bad
Mecânico: mechanic
Médico(a): doctor
Medidas: measures
Check out cool tip 20: Measuring units in Brazil p. 135
Melhor do que: better than
Mensagem: message
Mercado: market
Mergulhar: to dive
Mês: month
Mesa: table
Mesmo: even
Mesquita: mosque
Metade: half
Metrô: subway (US); underground/tube (UK)
Milhagem: mileage
Mirante: viewpoint
Missa: mass
Mobília: furniture
Mochila: backpack
Moderno(a)/(os)/(as): modern
Moeda: coin
Moeda corrente: currency
Montanha: mountain
Montanha-russa: roller coaster
Morar: to live
Mordomo: butler
Morro: hill
Mosca: fly
Mosteiro: monastery
Mostrar: to show
Motel: motel
Check out cool tip 8: Motels in Brazil p. 64
Motorista: driver
Muçulmano: muslim
Mudar: to change

Muito: a lot
Muletas: crutches
Mulher: woman
Multa: fine
Multa de trânsito: traffic fine
Multar: to fine
Museu: museum
Música: music, song

N

Nacionalidade: nationality
Nada: nothing
Nadar: to swim
Não perturbe: don't disturb
Natação: swimming
Natal: Christmas
Navio: ship
Neblina: fog
Nevar: to snow
Neve: snow
No exterior: abroad
Norte: north
Novembro: November
Novo(a)/(os)/(as): new
Nublado: cloudy
Nunca: never

O

Obrigado: thank you
Oceano: ocean
Oceano Atlântico: Atlantic Ocean
Oceano Pacífico: Pacific Ocean
Óculos: glasses
Óculos de sol: sunglasses
Ocupado(a)/(os)/(as): busy
Oeste: west
Oficina mecânica: garage
Onda: wave
Ônibus: bus
Ontem: yesterday
Ópera: opera
Orquestra: orchestra, band
Ótimo(a)/(os)/(as): great
Ouro: gold
Outono: fall; autumn
Outubro: October
Ouvir: to hear

P

Paciente (noun): patient
Paciente (adj.): patient
Paçoca: popular Brazilian candy made of ground peanuts and sugar
Pacote: package (US); packet (UK)
Padaria: bakery
Padre: priest
Pagamento: payment
Pagar: to pay/paid/paid
País: country
Palácio: palace
Palito de dente: toothpick
Pamonha: popular Brazilian sweet made from corn, sugar and milk, boiled wrapped in corn husks
Panela: pan
Pano: cloth
Pão de Açúcar: Sugar Loaf Mountain
Pão de queijo: Refer to menus: snacks p. 88
Papel higiênico: toilet paper
Parabéns: congratulations
Parar: to stop

Parlamento: parliament
Parque: park
Parque de diversões: amusement park
Parque temático: theme park
Parquímetro: parking meter
Parquinho: playground
Partida (planes): departure
Páscoa: Easter
Passagem: ticket
Passagem aérea: air ticket
Passagem de ida e volta: round-trip ticket
Passagem de ida: one-way ticket
Passaporte: passport
Passar a ferro: to iron
Passar férias: spend vacation
Pássaro: bird
Passeio turístico: sightseeing tour
Passeio de barco: boat trip
Pasta de dente: toothpaste
Pastel: Refer to menus: snacks p. 88
Patim: ice skate; roller skate
Patinação: skating
Pé de moleque: peanut brittle
Pedaço: piece
Pedágio: toll
Pedicure: pedicure
Pedir: to ask for
Pedir: to order (restaurants, snack bars, etc)
Pedras preciosas: gems
Pegar: to take; to catch (bus, subway, train, etc)
Peixe: fish
Pele: skin
Pelo menos: at least
Penhasco: cliff
Pensão: guesthouse
Pensão completa: full board
Pensar: to think
Pente: comb
Pentear: to comb
Pequeno(a)/(os)/(as): small
Perder: to lose; to miss (a class, a meeting, a flight, etc)
Perdido(a)/(os)/(as): lost
Pergunta: question
Perigo: danger
Perigoso(a)/(os)/(as): dangerous
Pérola: pearl
Pertencer: to belong
Perto: near
Perturbar: to disturb
Pesado(a)/(os)/(as): heavy
Pescar: go fishing
Pia: sink
Piada: joke
Picada de inseto: insect bite
Pilha: battery
Pílula: pill
Pinga: sugarcane liquor
Pingar: to drip
Pior do que: worse than
Pipoca: popcorn
Piquenique: picnic
Piscina: swimming pool
Piscina coberta: indoor swimming pool
Placa: sign
Playground: playground
Polícia: police
Ponte: bridge
Ponto de encontro: meeting point

Ponto de ônibus: bus stop
Ponto de táxi: taxi stand (US); taxi rank (UK)
Pôr: to put
Porção: portion
Pôr do sol: sunset
Porto: port; harbor
Portão: gate
Porteiro: doorman (US); porter (UK)
Posto de gasolina: gas station (US); petrol station (UK)
Praça: square
Praça de alimentação: food court
Praia: beach
Prato: dish
Prato principal: main course; main dish
Precisar: to need
Preço: price
Prédio: building
Preencher: to fill in (forms)
Preencher um cheque: make out a check
Preferido(a): favorite
Presente: gift
Preto(a)/(os)/(as): black
Previsão do tempo: weather forecast
Primavera: spring
Procurar: to look for
Proibido estacionar: no parking
Pronto(a)/(os)/(as): ready
Protetor solar: sunscreen
Provador (stores): fitting room
Pulga: flea
Pulseira: bracelet

Q

Quadra de esportes: court
Quadra de basquete: basketball court
Quadra de tênis: tennis court
Quadrilha: square dance
Check out cool tip 16: Festas Juninas p. 116
Quadro: painting
Quando: when
Quantia: amount
Quanto(a): how much
Quantos(as): how many
Quarta-feira: Wednesday
Quarteirão: block
Quarto: bedroom
Quarto de solteiro: single room
Quarto de casal: double room
Quarto com café da manhã: bed and breakfast
Quase: almost
Queijo: cheese
Quem: who
Quente: hot
Quentão: hot punch made from sugarcane liquor, ginger, cinnamon and sugar
Quilo: kilo
Quilograma: kilogram
Quilometragem: mileage
Quilometragem livre: free mileage; unlimited mileage
Quilômetro: kilometer
Quindim: Refer to menus: desserts p. 96
Quinta-feira: Thursday

R

Rainha: queen
Ramal de telefone: extension (number)
Rápido(a)/(os)/(as): quick
Raquete: racket
Rebocar: to tow
Recado: message
Receita (medical and culinary): prescription; recipe
Recepção: front desk; reception
Recibo: receipt
Reclamações: complaints
Recomendar: to recommend
Recordação: souvenir; memory
Recusar: to refuse
Reembolso: refund
Refeição: meal
Refrigerante: soft drink
Região: region
Religião: religion
Relógio de parede: clock
Relógio de pulso: watch
Remédio: medicine
Reservar: to book (table, hotel)
Reserva: reservation
Resort: resort
Ressaca: hangover
Revista: magazine
Rezar: to pray
Riacho: stream; brook; creek
Rinque de patinação: skating rink
Rio: river
Rir: to laugh
Rodovia: road; highway; motorway (UK)
Rodovia pedagiada: toll road
Rótulo: label
Roubado: stolen
Roubar: to steal
Roubo: robbery; theft
Roupa de banho: swimsuit
Roupa de mergulho: wetsuit
Roupas: clothes
Roupa de cama: bedclothes
Roxo(a)/(os)/(as): purple
Rua de mão dupla: two-way street
Rua de mão única: one-way street
Rua principal: main street
Rua sem saída: dead end

S

Sábado: Saturday
Saber: to know
Sabonete: soap
Saca-rolhas: corkscrew
Sacar: to withdraw
Saco: bag
Saco de dormir: sleeping bag
Saco plástico: plastic bag
Saguão (hotel): lobby
Saída: exit; way out
Saída de emergência: emergency exit
Sair: to leave
Sala de espera: waiting room
Sala de embarque: departure lounge
Sala de ginástica: gym; fitness center
Salão de jogos: game room
Salgados: Refer to menus: snacks p. 88
Salva-vidas: lifeguard

Sanduíche: sandwich
Sangrar: to bleed
Saudações: greetings
Saúde: health
Saúde!: Cheers! (making a toast)
Sauna: sauna
Secretária eletrônica: answering machine
Secador de cabelo: hairdryer
Seda: silk
Segunda-feira: Monday
Segurança: safety
Seguro(a)/(os)/(as) (adj.): safe
Seguro (noun): insurance
Seguro-saúde: health insurance
Seguro total: full insurance
Seguradora: insurance company
Selo: stamp
Sem: without
Semáforo: traffic lights
Semana: week
Sempre: always
Sentar: to sit
Separados: separate
Serviço de despertador: wake-up call service
Serviço de manobrista: valet parking
Serviço de quarto: room service
Setembro: September
Sexta-feira: Friday
Shopping: shopping center; mall
Silêncio: silence
Silencioso(a)/(os)/(as): quiet
Sinagoga: synagogue
Sinuca: snooker
Site na Internet: website
Smoking: tuxedo
Sobremesa: dessert
Socorro: help
Soletrar: to spell
Solteiro(a)/(os)/(as): single
Sonhar: to dream
Sonho: dream; food
Refer to menus: breakfast p. 86
Sorvete: ice cream
Sozinho(a)/(os)/(as): alone
Sugerir: to suggest
Sujo(a)/(os)/(as): dirty
Sul: south
Supermercado: supermarket
Supervisionar: to supervise
Suvenir: souvenir

T

Talão de cheques: checkbook
Talco: talcum powder; talc
Talheres: silverware (US); cutlery (UK)
Talvez: maybe
Tamanho: size
Taxa: rate
Taxa de câmbio: exchange rate
Táxi: taxi
Teatro: theater
Teatro lírico: opera house
Tecido: fabric
Telefonar: to call
Telefone: telephone
Telefone celular: cell phone (US); mobile (UK)
Telefone público: pay phone; public telephone
Telefonema local: local call
Telefonema de longa distância: long-distance call

Telefonista: operator
Televisão: television
Televisão a cabo: cable TV
Temperatura: temperature
Tempero: seasoning
Tempo: weather, time
Tempo livre: free time
Ter: to have
Terça-feira: Tuesday
Termômetro: thermometer
Terno: suit
Térreo: ground floor
Tesoura: scissors
Teto solar: sun roof
Tipo de sangue: blood type
Tirar fotografias: take photographs
Toalete: toilet; bathroom
Toalha: towel
Torneira: faucet (US); tap (UK)
Torradeira: toaster
Touca de banho: shower cap
Trabalhar: to work
Tradução: translation
Traduzir: to translate
Tráfego: traffic
Trailer: RV – Recreational Vehicle; trailer (US); caravan (UK)
Travesseiro: pillow
Travessia: crossing
Trazer: to bring
Trem: train
Tripulação: crew
Trocado: change
Trocar: to change
Trocar/descontar um cheque: cash a check
Troco: change
Túnel: tunnel
Turista: tourist

U

Último: last
Úmido(a)/(os)/(as): damp
Unidade: unit
Unidade monetária: currency
Uniforme: uniform
Urso: bear
Usar: to use
Útil/úteis: useful

V

Voucher: voucher
Válido(a)/(os)/(as): valid
Valor: value
Vara de pescar: fishing rod
Varanda: balcony
Vazio(a)/(os)/(as): empty
Vegetariano(a)/(os)/(as): vegetarian
Vela: candle
Veleiro: sailing boat
Velho(a)/(os)/(as): old
Veneno: poison
Venenoso(a): poisonous
Ventilador: fan
Ver: to see
Verão: summer
Verdadeiro: real
Verde: green
Verificar: to check
Vermelho(a)/(os)/(as): red
Vespa: wasp
Viagem: trip
Viagem de férias: vacation trip
Viagem de negócios: business trip

Viajar: to travel
Viajar a negócios: travel on business
Vinho: wine
Vinho branco: white wine
Vinho tinto: red wine
Visitar: to visit
Visto de entrada: visa
Voltagem: voltage
Vomitar: to throw up
Voo: flight
Voo de conexão: connecting flight
Voo fretado: charter flight
Voo sem escalas: non-stop flight

W

Windsurfe: windsurfing

X

Xadrez: chess
Xampu: shampoo
Xarope: syrup
Xícara: cup

Z

Zoológico: zoo

ENGLISH-PORTUGUESE GLOSSARY

A

A lot: muito
Abroad: no exterior; para o exterior; fora do país
Address: endereço
After: depois
Aftershave: loção pós-barba
Against: contra
Age: idade
Air conditioner: ar-condicionado
Air ticket: passagem aérea
Air conditioning: ar-condicionado
Airline: companhia aérea
Airline counter: balcão de companhia aérea
Airport: aeroporto
Alarm clock: despertador
Almost: quase
Alone: sozinho(a)/(os)/(as)
Always: sempre
Ambassador: embaixador
Amount: quantia
Amusement park: parque de diversões
Answering machine: secretária eletrônica
Antique shop: antiquário
Antiques: antiguidades
Apologies: desculpas
Appointment: compromisso, hora marcada
April: abril
Arrival: chegada
Arrive/arrived/arrived: chegar
Art gallery: galeria de arte
Asa: wing
Ashtray: cinzeiro
At least: pelo menos
Atlantic Ocean: Oceano Atlântico
ATM (abreviação de Automated Teller Machine): caixa eletrônico de banco
August: agosto
Autumn: outono
Availability: disponibilidade
Available: disponível; disponíveis
Awful: horrível

B

Backpack: mochila de colocar nas costas
Bad: mau/má/maus/más
Bag: mala; bolsa; saco
Baggage: bagagem
Baggage claim (area): esteira; local no aeroporto onde os passageiros retiram sua bagagem
Bakery: padaria
Balcony: varanda; sacada

Band: orquestra
Bank: banco
Barbecue: churrasco
Bath: banho
Bathing suit: maiô
Bathroom: banheiro
Bathtub: banheira
Battery: bateria; pilha
B&B (Bed and Breakfast): quarto com café da manhã
Beach: praia
Bear: urso
Beard: barba
Beautiful: bonito(a)/(os)/(as)
Bed and breakfast (B&B): quarto com café da manhã
Bed: cama
Bedclothes: roupa de cama
Bedding: roupa de cama
Bedroom: quarto; dormitório
Bee: abelha
Begin/began/begun: começar
Belong/belonged/belonged: pertencer
Belt: cinto
Bench: banco
Better than: melhor do que
Bicycle: bicicleta
Big: grande
Bike lane: ciclovia
Bikini: biquíni
Bill (UK): conta
Billiards: bilhar
Binoculars: binóculos
Bird: pássaro
Black: preto(a)/(os)/(as)
Blanket: cobertor
Bleed/bled/bled: sangrar
Block: quarteirão
Blocked: entupido(a)/(os)/(as)
Blood type: tipo de sangue
Blue: azul
Boarding: embarque
Boarding-pass: cartão de embarque
Boat trip: passeio de barco
Boat: barco
Boiled: fervido(a)/(os)/(as)
Book/booked/booked: reservar
Book: livro
Bookshop (UK): livraria
Bookstore (US): livraria
Botanical garden: jardim botânico
Bother/bothered/bothered: incomodar
Bottle opener: abridor de garrafas
Bottle: garrafa; mamadeira
Box office: bilheteria
Bracelet: pulseira
Breakfast: café da manhã
Bridge: ponte
Briefcase: maleta de mão
Bring/brought/brought: trazer
Brochure: folheto
Brook: riacho
Brown: marrom/marrons
Bruise: hematoma
Brunch: brunch
Brush: escova
Building: prédio
Bulb: lâmpada
Bunk (bed): beliche
Bus: ônibus
Busboy: ajudante de garçom; cumim

Bus station: estação rodoviária
Bus stop: ponto de ônibus
Business class: classe executiva
Business hours: horário comercial
Business trip: viagem de negócios
Busy: ocupado(a)/(os)/(as)
Butler: mordomo
Button: botão
Buy/bought/bought: comprar

C

Cab: táxi
Cable TV: televisão a cabo
Café: lanchonete
Call/called/called: telefonar
Camera: máquina fotográfica
Camp: acampamento
Campground: camping
Campsite: camping
Can opener: abridor de latas
Can: lata
Candle: vela
Cap: boné
Car park: estacionamento
Caravan: trailer; reboque
Carry-on luggage: bagagem de mão
Cash a check: descontar um cheque; trocar um cheque
Cashier: caixa
Cashpoint®: caixa eletrônico de banco
Cash machine (UK): caixa eletrônico de banco
Casino: cassino
Castle: castelo
Cat: gato
Catch/caught/caught: pegar
Cathedral: catedral
Catholic: católico(a)/(os)/(as)
Cave: caverna
Cell phone: telefone celular
Cemetery: cemitério
Central heating: aquecimento central; calefação central
Ceramics: cerâmica
Certificate: certificado
Chair: cadeira
Chambermaid: camareira
Change/changed/changed: mudar
Change/changed/changed: trocar
Change: trocado
Change: troco
Charter flight: voo fretado
Chat: bate-papo
Cheap: barato(a)/(os)/(as)
Check: conta (restaurant); cheque
Check/checked/checked: verificar, checar
Checkbook: talão de cheques
Checkout attendant: caixa
Cheers!: Saúde! (making a toast)
Cheese: queijo
Chemist's: farmácia
Chess: xadrez
Child: criança
China: louça
Choose/chose/chosen: escolher
Christmas: Natal
Church: igreja
Cigar: charuto
Clean/cleaned/cleaned: limpar

Clean: limpo(a)/(os)/(as)
Cleaner: faxineira
Cleaning: limpeza
Cliff: penhasco
Clock: relógio de parede
Clogged: entupido(a)/(os)/(as)
Close/closed/closed: fechar
Closed: fechado(a)/(os)/(as)
Cloth: pano
Clothes: roupas
Cloudy: nublado(a)/(os)/(as)
Coast: costa
Cockpit: cabine do comandante
Cockroach: barata
Code: código
Coffeemaker: máquina para fazer café
Coffee shop: lanchonete
Coin: moeda
Cold: frio(a)/(os)/(as)
Collect call: ligação a cobrar
Color: cor
Comb/combed/combed: pentear
Comb: pente
Comfortable: confortável
Commission: comissão
Company: companhia; empresa
Compartment: compartimento
Compass: bússola
Complaints: reclamações
Complimentary: cortesia; grátis
Concert: concerto
Concourse: saguão de aeroporto, estação ferroviária etc.
Conditioner: condicionador
Confirm/confirmed/confirmed: confirmar
Congratulations: parabéns
Connecting flight: voo de conexão
Connection: baldeação; conexão
Consulate: consulado
Contact lenses: lentes de contato
Convenience store: loja de conveniências
Cook/cooked/cooked: cozinhar
Cook: cozinheiro(a)
Copy: cópia
Corkscrew: saca-rolhas
Corner: esquina
Cost/cost/cost: custar
Country: país
Court: quadra de esportes
Credit card: cartão de crédito
Credit: crédito
Creek: riacho
Crew: tripulação
Cross: cruz
Crossing: travessia
Crosswalk: faixa de pedestre
Crowded: lotado(a)/(os)/(as)
Cruise: cruzeiro
Crutches: muletas
Crystal: cristal
Cue: taco de sinuca
Cup: xícara
Currency: moeda corrente; unidade monetária
Curtains: cortinas
Customs: alfândega
Cut: corte
Cutlery: talheres

D

Daily rate: diária de hotel
Daily: diariamente

Damage/damaged/damaged: danificar
Damaged: danificado
Damp: úmido(a)/(os)/(as)
Dance/danced/danced: dançar
Dance: dança
Danger: perigo
Dangerous: perigoso(a)/(os)/(as)
Dark: escuro(a)/(os)/(as)
Date: data
Dead end: rua sem saída
Deck chair: espreguiçadeira
Declare/declared/declared: declarar
Deep: fundo
Defrost/defrosted/defrosted: descongelar
Degrees: graus
Delay: atraso
Delicious: delicioso(a)/(os)/(as)
Deliver/delivered/delivered: entregar
Delivery: entrega
Department store: loja de departamento
Departure lounge: sala de embarque
Departure: partida
Deposit: depósito
Depot: estação rodoviária ou ferroviária
Dessert: sobremesa
Destination: destino
Details: detalhes
Diamond: diamante
Diaper: fralda
Diesel: diesel
Diet: dieta
Difficult: difícil/difíceis
Diner: lanchonete
Dinner: jantar
Direction: direção
Direct/directed/directed: indicar
Direct: direto
Directory: lista telefônica
Dirty: sujo(a)/(os)/(as)
Disabled: deficiente físico
Discount: desconto
Dish: prato
Disturb/disturbed/disturbed: incomodar; perturbar
Dive/dived/dived: mergulhar
Divorced: divorciado(a)/(os)/(as)
DoB (Date of Birth): data de nascimento
Doctor: médico(a)
Dog: cachorro
Don't disturb: não perturbe
Double room: quarto de casal
Drink/drank/drunk: beber
Drink: bebida
Drinking water: água potável
Drip/dripped/dripped: pingar
Drive/drove/driven: dirigir
Driver: motorista
Driver's license: carteira de motorista
Drugstore: farmácia
Dry cleaning: lavagem a seco
DSL – Digital Subscriber Line: Internet de banda larga
Dubbed: dublado
Dustbin: lata de lixo

E

Early: cedo

Earrings: brincos
East: leste
Easter: Páscoa
Easy: fácil; fáceis
Eat/ate/eaten: comer
Economy class: classe econômica
Electric shaver: barbeador elétrico
Elevator: elevador
E-mail address: endereço de e-mail
E-ticket: bilhete eletrônico
Embassy: embaixada
Embroidery: bordado
Emergency exit: saída de emergência
Empty: vazio(a)/(os)/(as)
Enjoy your meal!: Bom apetite!
Enjoy yourself: divertir-se
Enjoy/enjoyed/enjoyed: gostar; apreciar
Enter/entered/entered: entrar
Entrance: entrada
Envelope: envelope
Equipment: equipamento
Escalator: escada rolante
Even: mesmo
Exchange rate: taxa de câmbio
Excursion: excursão
Excuse me: com licença
Exit: saída
Expensive: caro(a)/(os)/(as)
Extension (number): ramal de telefone
Extra charge: custo adicional

F

Fabric: tecido
Facilities: instalações
Faint/fainted/fainted: desmaiar
Fall: outono
Famous: famoso(a)/(os)/(as)
Fan: ventilador
Far: longe
Fast: rápido(a)/(os)/(as)
Fast food: fast food
Faucet: torneira
Favorite: preferido(a)/(os)/(as)
February: fevereiro
Ferry; ferryboat: balsa
Fill in/filled in/filled in: preencher (formulário, ficha)
Financial district: centro financeiro
Find/found/found: achar; encontrar
Fine: multa
Fire alarm: alarme de incêndio
Fire brigade; firemen: bombeiros
Fire escape: escada de emergência
Fire extinguisher: extintor de incêndio
Fish: peixe
Fishing rod: vara de pescar
Fitness center: sala de ginástica
Fitting room: provador
Five-star hotel: hotel cinco estrelas
Fix/fixed/fixed: consertar
Flash (camera): flash
Flashlight: lanterna
Flatiron: ferro de passar roupa
Flea: pulga
Flight attendant: comissário(a) de bordo

Flight: voo
Floor: piso, chão, andar
Flower: flor
Flush/flushed/flushed: dar descarga
Fly: mosca
Fog: neblina
Fogo: fire
Food court: praça de alimentação
Food: comida
Forest: floresta
Fork: garfo
Form: ficha; formulário
Fountain: chafariz; fonte
Foyer: hall
Free mileage: quilometragem livre
Free of charge: gratuito
Free time: tempo livre
Free: livre; gratuito
Freeway: rodovia; estrada
Freezer: congelador
Fresh: fresco(a)/(os)/(as)
Friday: sexta-feira
Fridge: geladeira
Friend: amigo(a)
Friendship: amizade
Front desk: recepção
Frost: geada
Fruit: fruta
Fuel: combustível
Full board: pensão completa
Full insurance: seguro total
Full: cheio(a)/(os)/(as)
Fun: divertido
Funny: engraçado(a)/(os)/(as)
Furniture: mobília

G

Gamble/gambled/gambled: jogar
Game: jogo
Garage: oficina mecânica; garagem
Garbage can: lata de lixo
Garçonete: waitress
Garden: jardim
Gas: gasolina
Gas station: posto de gasolina
Check out cool tip 7: Gas stations in Brazil p. 54
Gate: portão
Gems: pedras preciosas
Get up/got up/got up: levantar
Gift shop: lojinha de presentes
Gift: presente
Give/gave/given: dar
Glass: copo
Glasses: óculos
Glove: luva
Go camping: acampar
Go fishing: pescar
Go shopping: fazer compras
Go/went/gone: ir
Gold: ouro
Golf club: taco de golfe
Goodbye: adeus
Good luck: boa sorte
GPS – Global Positioning System: GPS
Grams: gramas
Grass: grama
Gratuity: gorjeta
Graveyard: cemitério
Great: ótimo
Green: verde(s)
Greetings: saudações

Grey: cinzento
Grilled: grelhado(a)/(os)/(as)
Ground floor: térreo
Ground: chão
Group: grupo
Guest: hóspede
Guesthouse: pensão
Guide: guia
Guided tour: passeio com o acompanhamento de guia
Gym: sala de ginástica; academia

H

Hair brush: escova de cabelo
Haircut: corte de cabelo
Hairdryer: secador de cabelo
Half: metade
Hall: hall
Hand luggage: bagagem de mão
Handbag: bolsa de mão
Handicapped: deficiente físico
Handicraft(s): artesanato
Handkerchief: lenço
Hanger: cabide
Hangover: ressaca
Happen/happened/happened: acontecer
Happy birthday: feliz aniversário
Happy new year: feliz ano-novo
Harbor: porto
Hard: duro(a)/(os)/(as)
Hard shoulder (UK): acostamento
Hat: chapéu
Have a good time: divertir-se
Have fun: divertir-se
Have/had/had: ter
Head waiter: maître
Health insurance: seguro-saúde
Health: saúde
Health club: academia
Hear/heard/heard: ouvir
Heater: aquecedor
Heating: aquecimento
Heavy: pesado(a)/(os)/(as)
Help/helped/helped: ajudar
Help: ajuda; socorro
High: alto(a)/(os)/(as)
Highway: rodovia; estrada
Hill: morro
Holiday: feriado
Holidays (UK): férias
Honeymoon: lua de mel
Horse: cavalo
Hospital: hospital
Host: anfitrião
Hostess: anfitriã
Hot: quente(s)
Hotel: hotel
Hour: hora
Housekeeping: governança
How many: quantos(as)
How much: quanto(a)
Hug: abraço

I

Ice cream: sorvete
Ice skate: patim
Ice: gelo
Illegal: ilegal/ilegais
Impolite: mal-educado
In advance: com antecedência
Include/included/included: incluir
Included: incluso(a)/(os)/(as)
Indigestion: indigestão
Indoor swimming pool: piscina coberta

Infection: infecção
Information desk: balcão de informações
Information: informações
Injury: ferimento
Insect bite: picada de inseto
Insect: inseto
Inside: dentro
Insomnia: insônia
Instructions: instruções
Instructor: instrutor
Insurance company: seguradora
Insurance policy: apólice de seguro
Insurance: seguro
Interesting: interessante(s)
Interpreter: intérprete
Introduce/introduced/introduced: apresentar
Invitation: convite
Iron/ironed/ironed: passar a ferro
Iron: ferro de passar roupa
Island: ilha

J

Jacuzzi: hidromassagem
January: janeiro
Jet ski: jet ski
Jeweller: joalheria
Joke: piada
July: julho
June: junho

K

Karaoke: karaokê
Ketchup: ketchup
Key: chave
Kilo: quilo
Kilogram: quilograma
Kilometer: quilômetro
Kind: gentil/gentis
King-size bed: cama king-size
Kiss: beijo
Kiss/kissed/kissed: beijar
Knife: faca
Know/knew/known: saber

L

Label: rótulo
Lake: lago
Large: grande
Last/lasted/lasted: durar
Last: último
Late: atrasado(a)/(os)/(as)
Laugh/laughed/laughed: rir
Launderette: lavanderia
Laundromat: lavanderia
Laundry service: serviço de lavanderia
Lawn: gramado
Leather: couro
Leave/left/left: sair; deixar
Left: esquerda
Lend/lent/lent: emprestar
Length: comprimento
Library: biblioteca
Lifeboat: bote salva-vidas
Lifeguard: salva-vidas
Life jacket: colete salva-vidas
Lift: elevador
Light (adjective): leve(s)
Light (noun): luz
Lighter: isqueiro
Like/liked/liked: gostar
Limousine: limusine
Lipstick: batom

Liter: litro
Litter bin: lata de lixo
Live/lived/lived: morar
Lobby: saguão
Local call: chamada telefônica local
Location: localização
Lock: fechadura
Locker: guarda-volumes; armário
Long-distance call: interurbano
Long: comprido(a)/(os)/(as)
Look for/looked for/looked for: procurar
Loose(roupas): largo(a)/(os)/(as)
Lose/lost/lost: perder
Lost and found: achados e perdidos
Lost: perdido(a)/(os)/(as)
Lotion: loção
Loud: alto(a)/(os)/(as) (sons)
Love: amor
Love/loved/loved: amar
Low: baixo(a)/(os)/(as) (volume, things)
Luggage: bagagem
Lunch: almoço

M

Magazine: revista
Mailman: carteiro
Main course: prato principal
Main street: rua principal
Make a wire transfer: fazer uma transferência eletrônica; fazer um doc
Make an appointment: marcar um horário
Make out a check: fazer um cheque; preencher um cheque
Make-up: maquiagem
Mall: shopping
Man: homem
Manager: gerente
Manicure: manicure
Map: mapa
March: março
Market: mercado
Married: casado(a)/(os)/(as)
Mass: missa
Matches: fósforos
Matinee: matinê
Mattress: colchão
May: maio
Maybe: talvez
Meal: refeição
Measures: medidas
Mechanic: mecânico
Medicine: remédio
Meet/met/met: encontrar; conhecer alguém pela primeira vez
Meeting point: ponto de encontro
Menu: cardápio
Merry Christmas: feliz Natal
Message: mensagem; recado
Microwave oven: forno de micro--ondas
Migraine: enxaqueca
Mileage: milhagem
Mineral water: água mineral
Minibar: frigobar
Mirror: espelho
Miss/missed/missed: perder (the bus, a flight, a meeting, etc)
Missing: faltando

Mistake: erro
Misunderstanding: mal-entendido
Mobile: telefone celular
Modern: moderno(a)/(os)/(as)
Monastery: mosteiro
Monday: segunda-feira
Money: dinheiro
Month: mês
More: mais
Morning: manhã
Mosque: mesquita
Motel: motel
Check out cool tip 8: Motels in Brazil p. 64
Motorboat: lancha
Motorway: rodovia; estrada
Mountain: montanha
Moustache: bigode
Mouth: boca
Mug: caneca
Museum: museu
Music: música
Muslim: muçulmano

N

Nail polish: esmalte
Napkin: guardanapo
Nappy (UK): fralda
Narrow: estreito(a)/(os)/(as)
Nationality: nacionalidade
Near: perto
Necklace: colar
Need/needed/needed: precisar
Never: nunca
New: novo(a)/(os)/(as)
Newspaper: jornal
Newsstand: banca de jornal
Night club: boate
Noisy: barulhento(a)/(os)/(as)
Non-stop flight: voo sem escalas
No parking: proibido estacionar
No smoking: proibido fumar
No-smoking area: área para não fumantes
North: norte
Nothing: nada
November: novembro
Now: agora
Nurse: enfermeira

O

Ocean: oceano
October: outubro
Office: escritório
Old town: cidade velha
Old: velho(a)/(os)/(as)
One-way street: rua de mão única
One-way ticket: passagem só de ida
On the rocks: com gelo
Open/opened/opened: abrir
Open: aberto(a)/(os)/(as)
Opera house: teatro lírico
Opera: ópera
Operator: telefonista
Orchestra: orquestra
Order/ordered/ordered: pedir; fazer o pedido
Out of order: quebrado
Out of stock: esgotado
Oven: forno
Owe/owed/owed: dever
Owner: dono(a)

P

Pacific Ocean: Oceano Pacífico
Pack/packed/packed: fazer as malas
Package: pacote
Packet: pacote
Painting: quadro; pintura
Palace: palácio
Pan: panela
Paper napkin: guardanapo de papel
Park/parked/parked: estacionar
Park: parque
Parking lot: estacionamento
Parliament: parlamento
Party: festa
Passport: passaporte
Patient (adjective): paciente(s)
Patient (noun): paciente
Pavement: calçada
Pay phone: telefone público
Pay/paid/paid: pagar
Payment: pagamento
Pearl: pérola
Pedestrian crossing: faixa de pedestre
Pedicure: pedicure
Pen: caneta
People: gente; pessoas
Perhaps: talvez
Pet: animal de estimação
Petrol: gasolina
Petrol station: posto de gasolina
Photo: fotografia
Picture: fotografia
Photographer: fotógrafo(a)
Pick up/picked up/picked up: buscar; pegar
Picnic: piquenique
Piece: pedaço
Pill: comprimido
Pill: pílula
Pillow: travesseiro
Pillowcase: fronha
Pip: caroço de frutas
Place: local; lugar
Plain: liso(a); sem estampa
Plastic bag: saco plástico
Play/played/played: jogar
Playground: parquinho para crianças
Pleasant: agradável
Plumber: encanador
Poison: veneno
Poisonous: venenoso(a)/(os)/(as)
Police station: delegacia de polícia
Police: polícia
Pond: lagoa
Pool: piscina
Popcorn: pipoca
Popular: conhecido(a)/(os)/(as)
Port: porto
Porter: carregador de bagagem (US); porteiro (UK)
Portion: porção
Postcard: cartão-postal
Post office: agência dos correios
Post code: código postal
Postman: carteiro
Power failure: falta de energia
Pray/prayed/prayed: rezar
Pregnant: grávida
Prescription: receita médica
Press/pressed/pressed: passar

a ferro
Price: preço
Priest: padre
Pub: pub; bar
Pump: bomba
Purple: roxo(a)/(os)/(as)
Put/put/put: pôr; colocar

Q

Queen: rainha
Question: pergunta
Quick: rápido(a)/(os)/(as)
Quickly: depressa
Quiet: silencioso

R

Race: corrida
Racecourse: hipódromo
Racetrack: hipódromo
Racket: raquete
Railroad: ferrovia
Railway: ferrovia
Rain/rained/rained: chover
Rate: taxa
Razor blade: lâmina de barbear
Razor: barbeador
Read/read/read: ler
Ready: pronto(a)/(os)/(as)
Real estate agent: corretor de imóveis
Receipt: recibo
Reception: recepção
Recipe: receita culinária
Recommend/recommended/recommended: recomendar
Recreational vehicle: trailer
Red wine: vinho tinto
Red: vermelho(a)/(os)/(as)
Red-eye: voo noturno
Refrigerator: geladeira
Refund: reembolso
Refuse/refused/refused: recusar
Region: região
Relax/relaxed/relaxed: descansar
Religion: religião
Rent/rented/rented: alugar
Rental car: carro de aluguel
Repair/repaired/repaired: consertar
Repair: conserto
Reservation: reserva
Resort: resort; complexo turístico que abriga acomodação e área de lazer
Rest/rested/rested: descansar
Restroom: banheiro
Retiree: aposentado(a)
Right: direita
River: rio
Road map: mapa rodoviário
Road: estrada
Robbery: roubo
Roller coaster: montanha-russa
Roller skate: patim de rodas
Room service: serviço de quarto
Round-trip ticket: passagem de ida e volta
Row: fileira
Rucksack: mochila
Rude: mal-educado(a)/(os)/(as)
Rush hour: hora do rush
RV – Recreational Vehicle: trailer

S

Safe (adj.): seguro(a)/(os)/(as)
Safe (noun): cofre

Safety: segurança
Safety deposit box: cofre
Sailing boat: veleiro
Sale: liquidação
Sand: areia
Sandwich: sanduíche
Saturday: sábado
Sauna: sauna
Say/said/said: dizer
Schedule: horário
Scissors: tesoura
Sea: mar
Seafood: frutos do mar
Seasoning: tempero
Seat belt: cinto de segurança
Second hand: de segunda mão
See/saw/seen: ver
Send/sent/sent: enviar
Senior: pessoa idosa
Senior citizens: idosos
Separate: separados; independentes
September: setembro
Serious: grave(s)
Shampoo: xampu
Share/shared/shared: dividir; compartilhar
Shave/shaved/shaved: fazer a barba
Sheets: lençóis
Ship: navio
Shoe polish: graxa para sapatos
Shoeshine boy: engraxate
Shop: loja
Shopping center: shopping (center)
Short (height): baixo(a)/(os)/(as)
Short (length): curto(a)/(os)/(as)
Shorts: calção
Shoulder: acostamento; ombro
Show/showed/showed: mostrar
Show: espetáculo
Shower: chuveiro; ducha
Shower cap: touca de banho
Sidewalk: calçada
Sightseeing tour: passeio turístico
Sign/signed/signed: assinar
Sign: placa
Signature: assinatura
Silence: silêncio
Silk: seda
Silverware: talheres
Single room: quarto de solteiro
Single: solteiro(a)/(os)/(as)
Sink: pia
Sit/sat/sat: sentar
Size: tamanho
Skating rink: rinque de patinação
Skating: patinação
Ski resort: estação de esqui
Ski: esqui
Skiing: esqui
Skin: pele
Sleep/slept/slept: dormir
Sleeping bag: colchão/ saco de dormir
Sleeve: manga (clothes)
Slippery: escorregadio(a)/ (os)/(as)
Slow: lento(a)/(os)/(as)
Slowly: devagar
Small: pequeno(a)/(os)/(as)
Smoke/smoked/smoked: fumar
Snack bar: lanchonete

Snack: lanche
Snooker: sinuca
Snow/snowed/snowed: nevar
Snow: neve
Soap: sabonete
Soft drink: refrigerante
Sold-out: esgotado
Soon: logo
Sour: azedo(a)/(os)/(as)
South: sul
Souvenir: suvenir; lembrança; recordação
Sparkling water: água com gás
Spare tire: estepe; pneu sobressalente
Speak/spoke/spoken: falar
Speed limit: limite de velocidade
Check out usual traffic signs in Brazil p. 59
Spell/spelled/spelled: soletrar
Spend vacation: passar férias
Spend/spent/spent: gastar (money); passar (vacation, etc)
Sponge: esponja
Spoon: colher
Sport: esporte
Spring: primavera
Square: praça
Stadium: estádio
Stairs: escada
Stamp: selo
Start/started/started: começar
Statue: estátua
Stay/stayed/stayed: ficar
Stay: estadia
Steakhouse: churrascaria
Steal/stole/stolen: roubar
Steward: comissário de bordo
Stewardess: comissária de bordo; aeromoça
Stick: taco de hóquei
Stolen: roubado(a)/(os)/(as)
Stop/stopped/stopped: parar
Store: loja
Stove: fogão
Strange: estranho(a)/(os)/(as)
Stream: riacho
Strong: forte(s)
Student: estudante
Study/studied/studied: estudar
Subtitles: legendas
Subway: metrô
Subway station: estação de metrô
Sugar Loaf Mountain: Morro do Pão de Açúcar
Suggest/suggested/suggested: sugerir
Suit: terno
Suitcase: mala
Summer: verão
Sun roof: teto solar
Sunbathe/sunbathed/sunbathed: bronzear
Sunblock: protetor solar
Sunglasses: óculos de sol
Sunny: ensolarado(a)/(os)/(as)
Sunscreen: protetor solar
Sunset: pôr do sol
Supermarket: supermercado
Supervise/supervised/supervised: supervisionar
Sweet (adjective): doce(s)
Sweet (noun): doce
Swim/swam/swum: nadar
Swimming: natação
Swimming pool: piscina

Swimming trunks: calção de banho
Switch: interruptor
Synagogue: sinagoga
Syrup: xarope

T

Table: mesa
Take a photo: tirar foto; fotografar
Take a picture: tirar foto; fotografar
Take off/took off/taken off: decolar
Take/took/taken: pegar; levar
Takeout: comida para viagem
Take-off: decolagem
Talc: talco
Talcum powder: talco
Tall: alto(a)/(os)/(as)
Tan: bronzeado
Tap (UK): torneira
Tax: imposto
Taxi rank (UK): ponto de táxi
Taxi stand: ponto de táxi
Taxi: táxi
Team: equipe
Telephone book: lista telefônica
Telephone call: telefonema
Telephone directory: lista telefônica
Teller: caixa
Tennis court: quadra de tênis
Tent: barraca
Terrible: horrível
Thank you: obrigado
Theater: teatro
Theft: roubo
Theme park: parque temático
Thermometer: termômetro
Thick: grosso(a)/(os)/(as)
Thief: ladrão
Think/thought/thought: pensa
Throat: garganta
Throw up/threw up/thrown up: vomitar
Thursday: quinta-feira
Ticket office: bilheteria
Ticket: passagem; ingresso; entrada; bilhete
Tight: apertado(a)/(os)/(as)
Timetable: horário
Tip: gorjeta
Tissue: lenço de papel
Toaster: torradeira
Today: hoje
Toilet paper: papel higiênico
Toilet: toalete
Toll road: rodovia pedagiada
Toll: pedágio
Too much: demais
Toothbrush: escova de dente
Toothpaste: pasta de dente
Toothpick: palito de dente
Torch: lanterna
Tourist: turista
Tow truck: guincho
Tow/towed/towed: guinchar
Towel: toalha
Toy: brinquedo
Traffic: tráfego; trânsito
Traffic jam: engarrafamento
Traffic lights: semáforo
Traffic violation: infração de trânsito
Train station: estação ferroviária

Train: trem
Translate/translated/translated: traduzir
Translation: tradução
Trash can: lata de lixo
Travel agency: agência de viagem
Travel agent: agente de viagens
Travel on business: viajar a negócios
Travel/traveled/traveled: viajar
Tray: bandeja
Trip: viagem
Tube (UK): metrô
Tuesday: terça-feira
Tunnel: túnel
Turn down/turned down/turned down: diminuir, abaixar (volume, air conditioner)
Turn off/turned off/turned off: desligar (light, TV, radio, air-conditioner, etc)
Turn on/turned on/turned on: ligar
Turn up/turned up/turned up: aumentar
Tuxedo: smoking; traje formal
Two-way street: rua de mão dupla

U

Ugly: feio(a)/(os)/(as)
Umbrella: guarda-chuva
Underground: metrô
Underground station (UK): estação de metrô
Understand/understood/understood: entender
Unfortunately: infelizmente
Uniform: uniforme
Unit: unidade
Unleaded gas: gasolina sem chumbo
Unleaded petrol: gasolina sem chumbo
Unlimited mileage: quilometragem livre
Unpleasant: desagradável/desagradáveis
Use/used/used: usar
Useful: útil/úteis

Vacation: férias
Vacation trip: viagem de férias
Valet parking: serviço de manobrista
Valid: válido(a)/(os)/(as)
Value: valor
Vegetarian: vegetariano(a)/(os)/(as)
Viewpoint: mirante
VIP lounge: sala VIP
Obs.: VIP: abreviação de Very Important Person
Visa: visto de entrada
Visit/visited/visited: visitar
Visiting hours: horário de visita
Voucher: voucher
Voltage: voltagem
Vomit/vomited/vomited: vomitar

Wait/waited/waited: esperar
Waiter: garçom
Waiting room: sala de espera

Waitress: garçonete
Wake up/woke up/woken up: acordar; desperta
Wake-up call service: serviço de despertador
Wallet: carteira
Washing machine: máquina de lavar
Wasp: vespa
Watch: relógio de pulso
Water: água
Water bottle: bolsa de água quente
Waterfall: cachoeira
Waterskiing: esqui aquático
Wave: onda
Way out: saída
Weather forecast: previsão do tempo
Weather: tempo, clima
Website: site na internet
Wednesday: quarta-feira
Week: semana
Weekdays: dias úteis
Welcome to...: Bem-vindo a...
West: oeste
Wet floor: piso molhado
Wetsuit: roupa de mergulho
Wheelchair: cadeira de rodas
When: quando
White: branco(a)/(os)/(as)
White wine: vinho branco
Who: quem
Wide: largo(a)/(os)/(as)
Window: janela
Windsurfing: windsurfe
Wine: vinho
Wing: asa
Winter: inverno
With: com
Withdraw/withdrew/withdrawn: sacar
Without: sem
Woman: mulher
Woods: bosque
Wool: lã
Work/worked/worked: trabalhar; funcionar
Worse than: pior do que
Wound: ferimento
Write/wrote/written: escrever
Wrong: errado(a)/(os)/(as)

X

X-mas: Natal

Y

Yacht: iate
Yellow: amarelo(a)/(os)/(as)
Yesterday: ontem
YMCA - Young Men's Christian Association: ACM - Associação Cristã de Moços
Young: jovem/jovens
Youth hostel: albergue da juventude

Z

Zebra crossing: faixa de pedestre
Zip code: código postal
Zoo: zoológico

BRAZIL: MAP AND FLAG

Obs.: The phrase *ordem e progresso* (order and progress) is written on the white ribbon that crosses the blue sphere in the Brazilian flag.

CD GUIDE

TRACK 1: PRIMEIROS CONTATOS (FIRST CONTACTS)

TRACK 3: ACOMODAÇÃO & HOSPEDAGEM (ACCOMMODATION)

TRACK 4: ALIMENTAÇÃO (FOOD AND BEVERAGE)

TRACK 5: ATRAÇÕES TURÍSTICAS & LAZER E DIVERSÃO (TOURIST ATTRACTIONS & LEISURE AND ENTERTAINMENT)

TRACK 6: FAZENDO COMPRAS (GOING SHOPPING)

Este livro foi composto nas fontes Gotham e Mercury
e impresso em agosto de 2009 pela Prol Editora Gráfica,
sobre papel offset 90g/m².